KB086090

화영일록

표점원문

화영일록(풍석총서6)

이 책은 문화체육관광부의 "풍석학술진흥연구사업"의 보조금으로
원문번역 및 간행이 이루어졌습니다.

지은이 풍석 서유구
옮긴이 박시현, 한민섭
펴낸이 신정수
펴낸곳 자연경실
진행 박시현, 박소해
디자인 아트퍼블리케이션 디자인 고흐
인쇄 상지사피앤비
전화 (02) 6959-9921
E-mail pungseok@naver.com
펴낸날 2021년 12월 17일
ISBN 979-11-89801-51-9 (94080)

◎ 자연경실은 서유구 선생이 노년에 사용하던 서재 이름으로 풍석문화재단의 출판브랜드입니다.

풍석총서 6 표점원문

화영일록

차례

일러두기

- 이 책은 조선 후기 대표 실학자인 풍석 서유구의 《화영일록》을 표점·교감·번역·주석한 것이다.
- 일본 오사카부립 나카노시마도서관 소장본을 저본(底本)으로 하였다.
- 번역문과 원문을 각각 1책씩 모두 2책으로 하였다.
- 역자의 주석은 내용이 길면 각주로, 내용이 간단하면 ( )로 묶어 간주로 처리하였다.
- 본문의 이해에 도움이 되는 그림과 표, 사진 자료를 수집하여 함께 배치하였다. 본디 저본에는 그림 등이 없다.
- 번역문에 사용된 문장 부호는 대략 다음과 같다. ( )는 음이 같은 한자를, 〔 〕는 음이 다르지만 뜻이 같은 한자를, 《 》는 서명을, 〈 〉는 편명을 각각 표시한다.
- 이두는 구분의 편의를 위하여 기울여 작게 표기하였다.
- 원문에서 이체자는 대표자로 바꾸었다.
- 저본의 오자와 탈자 등은 바로잡고, 교감 사항은 원문 하단에 각주 처리하였다.
- 원문의 표점 부호는 마침표(。), 쉼표(,), 모점(、), 물음표(?), 느낌표(!), 쌍점(:), 쌍반점(;), 인용부호(“ ”), 가운뎃점(·), 괄호(( )), 서명부호(《 》)를 사용하였다.
- 저본의 소자쌍행(小字雙行) 원주(原註)는 【 】로 묶어 처리하였다.

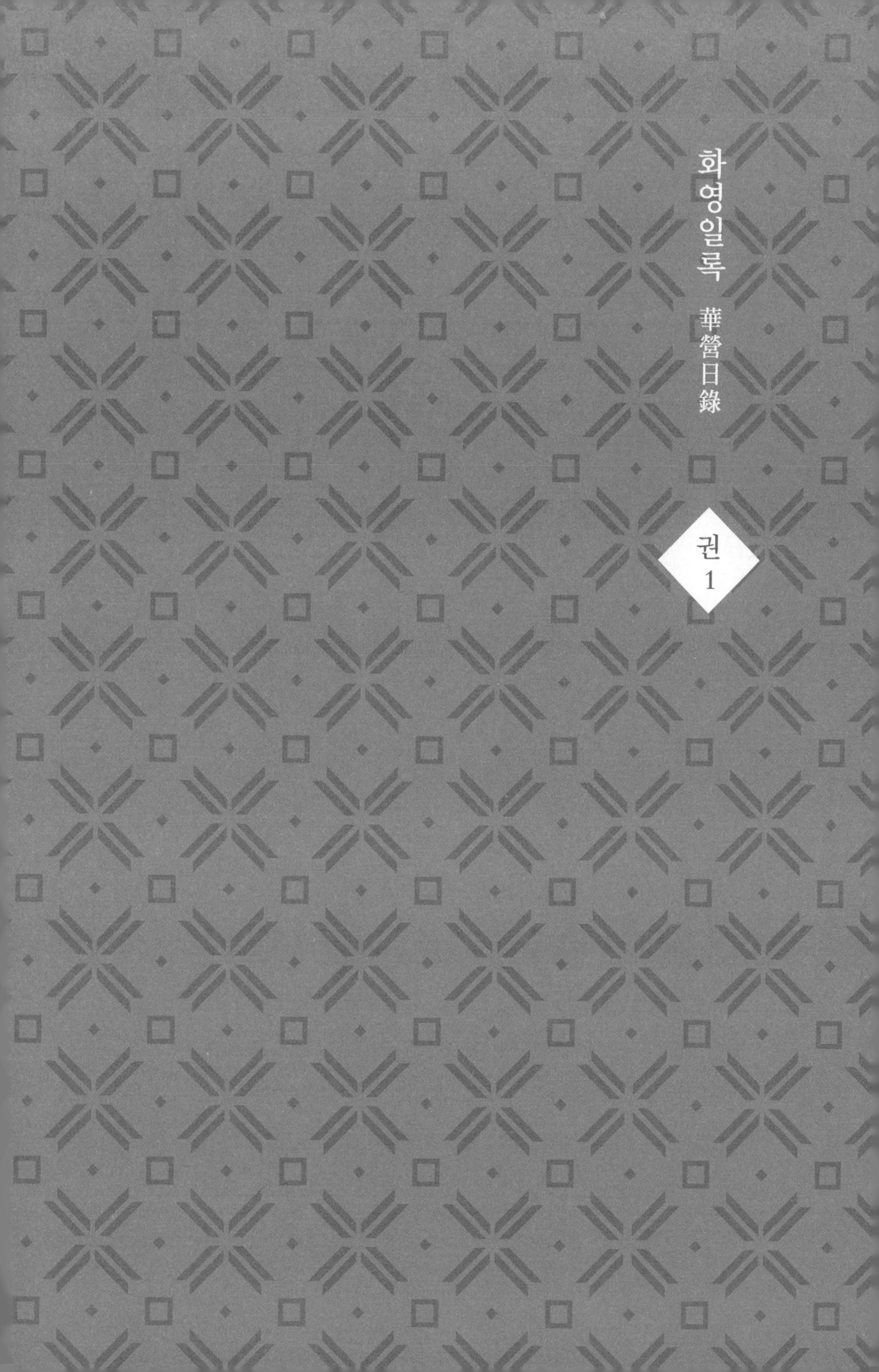
화영일록
華營日錄
권
1

병신년丙申年 1836년, 헌종憲宗 2년 1월

丙申正月初一日。

候班未進。

初四日。

大臣、閣臣, 承候入侍時, 余以陳懇, 未蒙恩遞, 未進。

初十日。

宗廟移安慶熙宮時, 以陪從閣臣, 進參。

十一日。

水原留守, 首擬蒙點。【徐能輔病遞代】 兵判命召, 使堂上軍官, 賫納于政院。

十五日。

上辭疏。

〔上疏〕

伏以, 歲籥倏改, 吉日載涓, 太室擧移奉之禮, 旅楹始增修之役, 聖孝采光於繼序, 群情普切於攢祝。仍伏念, 臣病在膏肓, 罪積瘝曠, 猥控微懇, 冀御重擔, 及奉批旨, 未蒙兪允, 惶悶靡措, 若隕淵谷, 千萬不自意, 忽伏奉華府保釐之命, 臣誠惝怳悸蹙, 益不知措躬之所也。

噫! 臣歷事三朝, 秖今老白首不死, 百刦滄桑, 萬念灰冷, 而至於此任。瞻依喬陵之松柏, 昵侍原廟之衣冠, 庶慰攀髯之餘慟, 少伸褥蟻之微忱, 此實臣之至願大榮也, 固宜聞命卽趨, 不俟駕屨, 顧何敢爲備例飾讓之歸哉?

嗚呼! 是府設始之初, 臣嘗簪筆登筵, 恭聆營度之謨訓, 櫜弭陪駕, 欣覩城池之壯麗, 每一追惟, 淚隨言迸, 某水某邱, 皆經指畫, 一草一木, 渾被雨露, 允爲萬億年無疆之基, 而管轄乎湖海, 門屛乎京都, 其責任之綦重, 尤非三都之比矣。挽近以來, 薦經歉荒, 倉府之峙積如掃, 閭里之凋瘵轉甚, 百弊蝟起, 矯捄沒策, 殆若敗局殘枰, 莫可下手, 此時此任, 雖使威望足以鎭物, 材器足以劑理者當之, 猶患其却顧而逡巡, 今乃擧而畀之於癃病衰耗不曉事務之瞶瞶如臣者, 畢竟僨誤, 理必無幸。臣身之顚倒狼狽, 固不足恤, 而其於無補已敗之局, 而徒貽愼簡之累, 何哉! 臣於是, 懼擔夯之過任, 惕寵祿之踰涯, 百爾忖度, 萬難昌膺, 玆敢略具文字, 仰瀆崇嚴。伏乞聖慈, 俯垂鑑諒, 亟遞臣新授居留之任, 俾公器重而微分安焉。

【批答】省疏具悉。卿其勿辭察任。

十六日。

謝恩, 仍進內閣, 校準御製。

十七日。

進內閣, 校準御製。

十八日。

進內閣, 校準御製。

十九日。

進內閣, 校準御製。

二十日。

賓對懸病。

二十一日。

進實錄廳。

二十二日。

進內閣, 進御製, 割付本, 申後, 進實錄廳。

二十五日。

進內閣, 校準御製。

二十六日。

下直肅拜後, 勸講入侍時, 同爲入侍。傳曰 : "水原留守留待", 傳曰 : "水原留守入侍"。

同日。

入侍罷後, 出政院受符, 陪奉教諭書而出。

〔**教書**〕

王若曰 : 地是漢西京控制, 正須文武兼全, 職倣周東郊保釐, 宜無內外異視, 煩卿一出, 敷予十行。惟卿, 世篤忠貞, 家傳詩禮, 韋布負宰輔之望, 以器則瑚璉、圭璋, 鉛槧擅詞宗之譽, 其文也笙鏞、黼黻。自沁都而按斗墟之節, 濟以籌司之紆謨, 長瀛館而掇奎華之班, 翕然文垣之推重。在胄筵而輔導不倦, 啓心沃心, 秉銓衡則鑑別靡差, 公耳國耳, 天球、弘璧, 校三宗之宸章, 石室、芸香, 編兩朝之國史, 旣卿才展布斯著, 而予心依毗也隆。

瞻玆畿輔四都, 尤重隋城一府, 金湯天設, 控湖、嶺三路之衝, 衣冠月遊, 奉寢園萬年之兆。肆聖祖經始之意, 卜洛宅而粤瞻, 寧考、繼述之謨, 遷欒和而弁祔, 一草一木, 罔非遺澤之均霑, 某山某邱, 尙設仙蹕之近駐, 是以, 居留之職, 亦必簡愼其人。

兩聖之制置旣勤, 正急堂搆之責, 九卿之才彦歷數, 誰任摠理之功? 玆授卿以水原府留守兼摠理使, 卿其祇承寵章, 克恢茂績。繕財賦而撫黎庶, 敷惠化於陽春, 簡卒乘而修城池, 懋預備於陰雨。

莅昔日扈駕之所, 當作何懷? 奉歲時展陵之儀, 勉盡乃職。於戲! 馹路近接於京輦, 毋替月朔之起居, 鴻猷時上於公車, 何異朝夕之納誨? 故玆敎示, 想宜知悉。

同日。

出畿營, 交龜後封啓, 仍爲離發, 夕抵始興縣止宿。

〔狀啓〕

本府前留守臣徐能輔所受發兵符右一隻、水原府留守印信一顆、摠理使印信一顆、本府判官發兵符左一隻及所屬龍仁·振威·安山·始興·果川等五邑發兵符左五隻, 臣於當日到畿營, 與兼留守臣金道喜面看傳受*爲白乎旀*, 緣由馳啟*爲白臥乎事*。

二十七日。

平明離發, 午刻到營, 肅拜華寧殿, 仍入于壯南軒, 封發到任狀啟。

〔狀啓〕

臣於今月二十六日辭朝, 二十七日到營*爲白有等以*, 緣由馳啟*爲白臥乎事*

二十九日。

詣健陵、顯隆園奉審後, 申刻還營, 封啓。

〔狀啓〕

臣於本月二十七日, 到營之由已爲馳啟*爲白有在果*, 當日華寧展肅拜後, 仍爲奉審*是白乎則*, 殿內諸處無頉*是白遣*。二十九日, 馳詣健陵、顯隆園, 陵上、園上、丁字閣、碑閣諸處, 奉審*是白乎則*, 俱爲無頉*是白乎等以*, 緣由馳啟*爲白臥乎事*。

병신년丙申年 1836년, 헌종憲宗 2년 2월

二月初一日。

華寧展大奉審後, 封啓。

〔狀啓〕

華寧殿冬孟朔大奉審元定*是白在*, 去月十五日, 當爲擧行, 而前留守臣徐能輔, 以身病, 不得擧行*乙仍于*, 今初一日, 臣與兼令臣李敏榮、兼衛將臣金相宇焚香後, 仍爲眼同奉審*是白乎*, 則殿內諸處無頉*是白乎旀*, 卽接顯隆園參奉金益鼎牒呈, 則"今初一日, 園上、殿內奉審無頉"*是如爲白有等以*, 緣由馳啟*爲白臥乎事*。

同日。

傳令各面, 勸飭農務又飭牛、酒、松三禁。

〔勸農傳令〕

爲知悉擧行事。

敦本重農, 有國之大政也, 歲首綸音十行懇摯, 雖愚夫、愚婦, 咸有以攢誦字恤元元之盛德至意*是如乎*。本府荐經歉荒, 三政俱病, 民有顚連之憂, 地有曠廢之歎, 滔滔百弊, 一皆由此, 爲今日蘇弊之方, 惟在裕食, 裕食之道, 專在於勸農*是置*。見今春分已屆, 東作伊始, 堤洑貯水之節, 錢鏄資用之器, 預先留意, 毋或失時*爲旀*。

昨年年成, 未免失稔, 冬糴未勘, 春窮可知, 況今理耟之時, 必多艱食之患, 縱令雨暘時若, 休徵日至良置, 秖緣人功之不逮, 以致地力之未盡, 則今秋穡事, 亦可推知, 言念及此, 寧不悶然? 種糧補助之方, 營府從當爛商措處*是在果*。

近因牛禁解弛，牛畜耗損，佃戶畜牛者十未一二，因此曠農，在在皆然，春耕之時，移秧之節，必須隣里相借，毋或有愆期失農之歎爲旀，或因癘疫，不能耕作者，隣里族戚，併力相助，俾無片土陳荒之弊爲乎矣。各其面里大小民頭目之任，恪勤董飭，期有懇闢之實效是遣，營門，亦當有逐坪者，審考勤慢，別般賞罰之道，切勿視以例飭，各別惕念擧行宜當事。

〔牛、酒、松三禁傳令〕

爲惕念禁斷事。

牛、酒、松三禁，法典自來嚴重，而廟堂申飭，不啻縷縷是去乙，近來民習謷，不畏法恣意，犯禁弁髦朝令，苟有一分紀綱，寧容若是？第以牛禁言之，務盡地力之方，不外乎耕墾，而耕墾之具，莫要於牛畜，牛畜之關係於利用厚生之道，果何如？而奸細輩無難冒禁，公行私屠，以致牛畜漸耗，耕墾失時。挽近連年告歉，溢目陳荒，未必不由於此，此豈細故是旀？官廚設庖，已是法外，況旀場市是乙喩！日前廟飭截嚴纔，已謄甘知委是在果，本府境內場市設庖之弊，比他尤甚，諉以納稅官庖，狼藉行賣少無顧忌云，無嚴除良，駭聽極矣，此不嚴加禁斷，豈可曰有營有邑乎？所謂“官庖收稅”，自今爲始一切嚴禁爲去乎，如是別飭之後，萬一有如前犯禁，現發於廉探之下，則當者之依律刑配斷，不饒貸齊除良，該面面、里任輩，亦當重勘切勿視，以例飭惕念擧行爲旀。

至於酒禁，雖在康年樂歲，不可一任其解紐，麴糱之爲害，不但糜穀而止，街路之鬪鬨，人命之殺越，苟究其因，率多由醉此，亦不可不祛，其太甚是如乎。場市店幕等處，無賴遊食之輩，酗酒作拏之弊，各別禁斷, 犯禁者, 各其面里任, 這這指名馳告, 以爲自官嚴治之地*爲旀*。

以松政言之, 近來法禁蕩然, 大而封山局內, 小而私養諸處, 無難犯斫, 在在童濯, 泉原枯涸, 堤塍潰決之患職由於此, 此豈非妨農病民之一大弊源*是旀*? 又況本府密邇陵園, 所重自別, 松禁一款, 尤不可不別樣留心*是如乎*, 毋論公、私山, 如有犯斫之弊, 則當者與符同作奸之山直輩, 斷當依律嚴勘, 竝只知悉擧行*爲乎矣*。

今此三政之飭, 不但爲申明舊制, 莅營之初, 爲此先甲之令, 佇有改觀之效, 將此傳令揭諸坊曲, 俾無一民不知冒犯抵罪之弊*宜當事*。

初三日。

謁聖。

同日。

因籌關, 以校吏料條米, 依前劃送事, 論報備局。

〔報狀〕

爲相考事。

*節到付*司關內, "*節該*。卽者廣州留守所報內, '以爲本府庫儲蕩柝, 倉簿枵磬, 各樣應下, 實難排比, 華城校吏料條米一百七十石零, 萬無依例輸送之路, 姑俟營養蘇醒, 輸送之外, 更無變通, 以此意發關該府'*亦爲置*。該營事勢旣如此, 則有難强令輸送, 自本府從他措處" *亦爲有臥乎所*。

今此料條之區劃, 粵自本營經始之初, 筵稟定式之事, 而于今四十餘年, 一例遵行, 無敢違越*是乎加尼*, 到今該府之有此持難, 固知事勢之萬不獲已而, 弊營苟有一分措手之道, 則其在相須共濟之誼, 豈不思方便拮据之策是乎喩? 庫儲蕩柝, 倉簿枵磬之狀, 弊營較甚於該府, 各樣應下, 塗抹不得, 捨此近二百包應入之穀, 則將士支放, 自歸於無麵不飥, 揆以昔年設始之本意, 已極萬萬悚悶, 而目下校吏之一朝渙散, 亦豈可不念是乎喩? 且況同料米移劃, 初非自該府輸送, 該府還米之儲, 積於本營城內者, 本爲弊營策應而設置, 故每年一百七十石零, 就其中推用, 初無運輸往來之弊是如乎, 該府事勢雖云窘跲是乃, 距府近百里之地外, 倉穀劃送與城餉中出庫輸送, 煞有間焉是乎遣。

弊營, 則似此手中之物, 不得如例推用, 而以若儲畜俱空之時, 有何方便措處之道乎? 左思右量, 計無所出, 玆以據實牒報爲去乎, 司敎是參量如右事情, 發關該府, 以爲依例劃送之地是乎去乃, 該府事勢終不可不念, 則以隣近邑某樣穀區劃給代, 爲弊局一分支保之地爲只爲。

初四日。

傳令各面, 飭禁雜技。

〔傳令〕

爲知悉禁斷事。

卽聞各面里雜技之弊, 罔有紀極, 浮浪無賴之輩, 不守本分之業, 締結徒黨, 各置窩窟, 良家少年, 百般誘引, 暗奪錢財, 蕩産誤身之類, 比比有之, 甚至過去之行旅、商賈, 亦爲慫慂騙其物貨云。竊盜之滋蔓, 鬪鬨之紛拏, 未必不由於此, 雜技、酗酒法禁, 何如? 而幺麽亂民輩少無畏憚, 恣意作拏, 以致愚蠢之民, 從以濡染, 胥入於化外之域者, 究其所犯, 合置何辟? 玆以先甲之令, 有此別飭之擧爲去乎, 逐戶曉諭, 俾有懲戢之實效*是遣*, 如有不悛舊習恣意冒犯者*是去等*, 這這指名馳告, 以爲依律刑配之地*爲於*。面里之設置風憲譏察等任, 意義何如, 而褎如充耳, 不思禁察*是隱喩*? 營門從當有從他廉探之道*是如乎*, 如是申飭之後, 若復有一民犯禁之弊, 則當者之依律嚴處, 且置勿論, 面里任亦難免重究, 除尋常, 惕念擧行*宜當事*。

同日。

甘結判官, 嚴督章洲面還餉三稅拒納班戶。

〔甘結〕

右甘爲營門莅任屬耳, 邑弊民瘼, 姑未周察, 而章洲一面凋弊最甚, 一切公納全然拒納。苟求弊源, 專由於班戶之頑拒, 而小民亦爲效嚬云, 豈有如許事理? 國賦早完, 士子之常經, 官令顧畏, 民習之當然*是去乙*, 該面*段*, 耕食土地而不應公稅, 官令推捉而頑拒不來, 畢竟使無辜之面任輩, 替官納轉成積逋, 求死不得, 轉而之四該面, 將至無面任之境云。似此民習, 今始初聞, 班民亦民, 居此土籍此府, 而瞀不畏法, 蔑視關飭, 至此之極, 其較甚於蚩蠢之小民*是如乎*。此不別加懲創, 何以懲勵小民, 亦安知無他面效尤之弊乎? 同拒納班戶毋論所納多寡, 一倂抄出, 先以申令之意, 捉致其奴子, 定給日限, 另加董督*爲乎矣*。若復如前愆納*是去等*, 各其主戶捉囚報來, 以爲自營門別般嚴處之地*爲於*。該面風憲*段*, 必以有風力勤實可堪者, 各別擇差*宜當事*。

同日。

火巢內, 民家失火事, 封啓。

〔**狀啓**〕

卽接顯隆園參奉金益鼎牒呈, 則"巡山監官羅赫仁來告內, '火巢內安寧面鵲峴洞居案山直徐快得家舍, 去月二十九日偶然失火, 草家十間盡爲燒燼'"*是如爲白有臥乎所*。火巢內失火, 萬萬驚悚, 常時不善檢飭之該面任, 捉來嚴治*是白遣*。被燒家舍*段*, 使卽移搆於火巢外, 俾卽奠接, 而恤典租一石, 依例上下之意, *竝只*分付於本府判官李敏榮處*爲白乎旀*, 緣由馳啟*爲白臥乎事*。

初五日。

華寧殿奉審。

同日。

雨澤封啓。

〔**狀啓**〕

卽接本府判官李敏榮牒呈, 則"今月初四日卯時量始雨, 或霏或灑, 當日卯時至所得僅爲浥塵"*是如爲乎旀*, 測雨器水深, 爲三分*是白乎等以*, 緣由馳啓*爲白臥乎事*。

初十日。

華寧殿奉審。

十二日。

雨澤封啓。

〔狀啓〕

卽接本府判官李敏榮牒呈則, "今月十一日戌時量始雨, 或霏或灑, 十二日辰時至所得僅爲浥塵"*是如爲乎㫆*, 臣營測雨器水深爲三分*是白乎等以*, 緣由馳啓*爲白臥乎事*。

十三日。

本營及五屬邑官門聚點事, 封啓。

〔狀啓〕

*節到付*備邊司關內, "*節*啓下*敎*司啓辭, '各道春操稟啓, 今纔齊到矣。莫重戎政之廢閣, 已爲數十年, 所其在陰雨之備, 誠不免疎虞之莫甚。而昨年穡事, 旣失全稔, 目下民情, 在在遑汲, 此時徵赴之役, 實乖懷保之義。詰戎雖係不輕, 恤民尤在所先, 今春各道、四都、水陸諸操、巡歷、巡點, 竝姑停止, 官、鎭門聚點, 使之如例爲之, 而充伍繕械之節, 另加惕念, 毋或疎忽, 有堤堰處移點完役, 亦依年前申飭, 俾有實效, 而畿甸、關北救急邑鎭, 雖與公賑有異, 抄飢役民, 勢難兩行, 此則竝與聚點而許令姑停, 各樣都試, 依例設行之意, 竝爲分付何如?', 答曰 : '允事', 傳敎*敎是置*。傳敎內事意, 奉審施行"*亦爲白有等以*。

臣營馬兵, 依例聚點, 俱無闕額, 而步軍段, 移點於各處堤堰疏濬之役*是白遣*, 所屬五邑軍兵, 亦爲依關辭擧行之意, 傳令知委*是白加尼*。卽接安山群守金原淳、振威縣令吳謹常、始興縣令李鳴遠所報, 則"三邑俱以救急邑, 聚點停止"*是如爲白遣*, 果川縣監鄭晩教所報,則"本懸軍兵, 依例聚點, 而別無闕伍"*是如爲白遣*, 龍仁縣令李瀏所報, 則"本懸軍兵, 移點於堤堰疏鑿之役"*是如爲白有等以*, 緣由竝以馳啟*爲白臥乎事*。

十五日。

華寧展焚香奉審後, 封啓。

〔狀啓〕

臣於今日, 華寧展焚香後, 仍爲奉審, 則殿內諸處無頉*是白乎旀*, 卽接顯隆園令李象祖牒呈, 則"今日, 園上、殿內奉審無頉"*是如爲白有等以*, 緣由馳啟*爲白臥乎事*。

十九日。

陵、園所局內, 松、雜木補植, 封啓。

〔狀啓〕

卽接健陵令崔斗顯、顯隆園令李象祖牒呈, 則"局內樹木稀疏處, 年例補植之役, 自今月十七日爲始, 十八日至畢役"*是如爲白有等以*, 補植經界及植木株數, 後錄馳啟*爲白臥乎事*。

二十日。

顯隆園寒食祭享, 以獻官進參。

〔啓本〕

謹啓爲祭享事。

今月二十日, 行顯隆園寒食祭享, 臣以獻官, 進參設行後, 園上奉審, 雜草雜木無*乎是白遣*, 四山之內, 亦無樹木犯斫之弊*是白乎旀*, 祭官職、姓名, 開錄于後, 緣由馳啓*爲白臥乎事*。

同日。

陵、園所春大奉審, 申刻還營。

〔啓本〕

謹啓爲祭享事。

臣於本月二十日, 健陵陵上、丁字閣、碑閣以下諸處, 顯隆園園上, 丁字閣、碑閣以下諸處, 奉審後, 健陵祭器雜物破傷者, 開錄于後*爲白去乎*, 令該曹卽速修改*爲白乎旀*。

顯隆園典祀廳雜物有頉者, 依例自臣營莞千庫, 從便修改*是白遣*, 樹木*段*, 火巢濶遠, 不能一一摘奸, 而這這巡審, 俾無犯斫之弊事, 另加申飭於陵園官處*爲白乎旀*。萬年堤垌內, 一體看審, 則俱爲無頉*是白遣*, 鷺峰浮石所, 發遣褊裨摘奸, 則封標內, 亦無頉處*是白乎等以*, 緣由竝以馳啓*爲白臥乎事*。

二十一日。

以海溢, 十一面抄飢救急事, 傳令。

〔傳令〕

營門莅任不久, 各面民情, 雖未到底領略, 而昨年海溢, 諸面則窮春遑汲, 較甚於他面, 鶉鵠顣頷之狀, 如在目前, 況當省耕之時, 宜有補助之方, 故就海溢各面中, 最遑急戶, 略略抄來, 以今二十七日, 爲始每口米二升、太二升式, 分給計料*爲去乎*。

該面任, 依成冊一一知委, 當日曉頭, 領率待令于後錄倉, 所以爲受去之地*是矣*。若有代受之戶, 則卽當拔去, 必以當戶率待, 宜當*向事*。

同日。

離發上京, 中火于果川, 夕抵筆谷。

〔狀啓〕

臣有廟堂稟議事, 當日發行上京, 緣由馳啟*爲白臥乎事*。

二十三日。

以御製校準事, 進內閣。

二十五日。

春牟麥畢耕事, 封啓。

〔狀啓〕

卽接本府判官李敏榮牒呈, 則"境內春牟麥, 今已畢耕"*是如爲白有等以*, 緣由馳啓*爲白臥乎事*。

二十七日。

海溢, 各面飢民救急, 初巡分給。

一倉, 禮裨監分,【松洞, 四十四口, 米八斗八升、太八斗八升。】

六、七倉, 座首監分,【土津, 六十三口, 米十二斗六升、太十二斗六升。

○ 五朶, 三十一口, 米六斗二升、太六斗二升。

○ 宿城, 六十四口, 米十二斗八升、太十二斗八升。

○ 浦內, 五十八口, 米十一斗六升、太十一斗六升。

○ 佳士, 三十口. 米六斗、太六斗。

○ 玄巖, 四十口, 米八斗、太八斗。】

九倉, 迎華察訪監分,【長安, 七十四口, 米十四斗八升、太十四斗八升。

○ 鴨汀, 一百九口, 米一石六斗八升、太一石六斗八升。

○ 草長, 四十九口, 米九斗八升、太九斗八升。

○ 雨井, 一百八十五口, 米二石七斗、太二石七斗。

○ 合各面, 七百四十七口, 各米二升、太二升, 合米九石十四斗四升、太九石十四斗四升。】

병신년丙申年 1836년, 헌종憲宗 2년 3월

三月初一日。

營下得雨形止, 封啓。

〔狀啓〕

卽接本府判官兼任中軍金相宇牒呈, 則“去月二十九日, 未時量始雨, 或霔或灑, 三十日卯時至所得, 恰爲三犁, 而營下測雨器水深, 爲五寸三分”*是如爲白有臥乎所*, 惜乾之餘, 雨澤優洽, 民事多幸, 緣由馳啓*爲白臥乎事*。

同日。

華寧殿、顯隆園奉審, 無事事, 封啓。

〔狀啓〕

卽接華寧殿兼衛將金相宇牒呈, 則“今月初一日, 焚香後, 仍爲奉審, 則殿內諸處, 無事”*是如爲白乎旀*。同時到付顯隆園令李象祖牒呈內, “今月初一日, 園上、殿內奉審, 無事”*是如爲白有等以*, 緣由馳啟*爲白臥乎事*。

初二日。

進內閣, 校準御製, 仍進實錄廳。

初三日。

進內閣, 校準御製, 仍進實錄廳。

初四日。

進實錄廳。

初五日。

農形封啓。

〔狀啓〕

卽接本府判官李敏榮牒呈, 則"境內農形, 秋牟麥向青, 春牟麥立苗, 鍤役方張"*是如爲白有等以*, 緣由馳啓*爲白臥乎事*。

初六日。

辰刻離發, 中火于始興, 申刻抵營, 封啓。

〔狀啓〕

臣有廟堂稟議事, 上京*爲白有如可*, 當日還營, 緣由馳啓*爲白臥乎事*。

初七日。

海溢, 各面飢民救急, 再巡分給。

一倉, 禮裨監分,【松洞, 四十四口, 米八斗八升、太八斗八升】。

六、七倉, 座首監分,

【土津, 六十三口, 米十二斗六升、太十二斗六升。

○ 五朶, 三十一口, 米六斗二升、太六斗二升。

○ 宿城, 六十四口, 米十二斗八升、太十二斗八升。

○ 浦內, 五十八口, 米十一斗六升、太十一斗六升。

○ 佳士, 三十口, 米六斗、太六斗。

○ 玄巖, 四十口米八斗太八斗。】

九倉, 工裨監分,

【鴨汀, 九十九口. 米一石四斗八升、太一石四斗八升。

○ 長安, 七十四口, 米十四斗八升、太十四斗八升。

○ 草長, 四十五口, 米九斗、太九斗。

○ 雨井, 一百八十八口, 米二石七斗六升、太二石七斗六升。

○ 合各面, 七百三十六口, 各米二升、太二升, 合米九石十二斗二升、太九石十二斗二升】。

同日。

校吏料米劃送事, 更報備局, 亦爲回移送廣州府。去月以校吏料條, 依前劃送事, 論報籌司矣, 回題內, "本營與該府事勢, 俱不容不念*是如乎*, 今若以各邑所在廣州句管華城校吏料條米中, 準此數劃送, 則在本營無甚爲失, 而實合兩便之道*乙仍于*, 方以依此擧行之意, 更關南營*是在果*, 待該府文移, 就此推用之地"*向事*。

○ 南城移文內,

"爲相考事。

貴府所送校吏料米一白七十三石零, 本自弊府餉穀中, 推移劃送者, 而見今弊府餉簿, 漸致耗縮, 萬無依例輸送之路, 故以此意, 論報籌司矣。" 卽到關文內, "*節該*。兩營事勢, 俱不可不念, 以各邑所在本營句管華城校吏料條米中, 準數劃送, 無煩往復"*亦爲有等以*。依關辭各邑所在穀中, 劃付貴府, 以爲每年取耗之地*是遣*, 同劃送邑名及穀數, 後錄文移*爲去乎*, 先自作年耗條一百七十三石十二斗二升, 發關取用*爲宜向事*。

○ 是日, 一邊回移, 一邊報籌司。

〔廣州回移〕

爲回移事。卽到貴移內, "*節該*。本府校吏料米一百七十三石零, 以各邑所在穀中, 後錄劃送。先自昨年, 耗條發關取用*亦爲有置*, 弊府支放之條, 必以貴營耗米換劃者, 當初設施之意。誠以弊營支放, 必以本色而各邑耗米運輸有弊。貴營倉舍, 旣在弊府城內*是隱則*, 耗米取用, 在弊營無異手邊之物, 在貴營, 毋論五邑與華倉, 等是作錢取用, 於此於彼, 毫無異同, 則以此換彼, 事勢便順故耳。四十餘年遵行勿替之餘, 今忽變改前規, 有此代劃之擧, 將欲執錢於五邑, 貿米於本府, 則時價詳定, 不啻徑庭, 一百七十餘石價, 本不足以貿取七八十石, 不足之數將於何取? 辨乎弊營事勢之萬萬罔措, 固不待兩言, 而至於貴營, 旣不可本色輸去, 則等是執錢取用耳。貴營貿米價詳定, 不過一石四兩*是乎所*, 申飭五邑, 一從時價作錢, 則在貴營毫無所損*是如乎*, 苟或不然, 則弊府事勢, 雖甚遑汲, 豈如是往復持難, 不憚支煩乎? 至於昨年, 耗條取用一款, 尤係行不得推不去之政矣, 各邑糴政, 磨勘經歲, 三春分還, 亦幾傾庫, 今雖欲出庫輸來, 殆無異畫中之餠, 此箇事狀, 較然明甚, 方以此意枚報籌司計料, 而先此回移*爲去乎*, 須念共濟之義, 且軫俱便之策, 同料米一百七十三石零, 如例劃送, 俾卽頒料*爲宜向事*。"

〔備局報牒〕

爲相考事。

本府校吏料米一百七十三石零, 自廣州移來者, 依前區劃及時頒料事, 向有所論報矣。司*教是*題辭內, "'營與該府事勢, 俱不容不念, 今若以各邑所在廣州句管米中準數劃送，則在本營無甚爲失，而實合兩便之道乙仍于，方以依此擧行之意更關南營是在果，待該府文移就此推用之地'亦是乎旀。

鱗次到付廣州府移文內，'本府料條米，依籌司關辭，各邑所在穀中，後錄劃付，以爲每年取耗，而先昨年耗條發關取用'亦爲有臥乎所，本府支放條之，當初以廣營耗米換劃者，專由於本營，支放必以本色，而廣營倉舍，既在本府城內，則耗米取用無煩運輸是乎遣，在廣營，則毋論各邑與華倉，等是作錢取用，以此換彼，事勢便順故耳。四十餘年遵行毋替之餘，今忽變改前規，有此代劃之擧，將欲執錢於各邑，貿米於本府，則時價詳定，不啻徑庭叱除良，一百七十餘石價，本僅可以貿取七八十石，則其所不足之數，將何取辦是乎喩？且以昨年耗條言之良置，廣營則以各邑所在中，爲先取用爲辭是乎矣，探問於所劃各邑，則皆以爲本邑所在南漢穀或入停退中或有民間未捧者是遣，如干所捧之物已於初春分還無餘，則到今如數輸納萬無其路"是如是乎所。

然則今此代劃之穀，殆同畫餠名存實無，而校吏支放，將未免因此闕廢之境，本營事勢，萬萬罔措乙仍于，玆又據實枚報爲去乎，司教是，特軫俱便之方，同料米如例劃送，俾卽頒料之意，更爲關飭該營之地爲只爲。

初九日。

華寧殿攝行酌獻禮獻官，左議政入府殿內奉審時入參。

是月初五日卽英宗大王昇遐回甲日也，初十日正宗大王登極回甲日也，大王大妃殿教曰："今月初五日，卽我英宗大王昇遐之舊甲也，新舊愴慕之慟, 益新矣, 當日元陵酌獻禮, 遣大臣攝行, 該房知悉." 又敎曰:"是年是日, 卽我正宗大王御極之周甲也, 罔極之痛、於戱之思, 靡所逮及, 初十日, 華寧殿酌獻禮, 當遣大臣攝行, 該房知悉," 又敎曰:"元陵酌獻禮, 領府事進去, 華寧殿酌獻禮, 左議政進去。"

是日, 左揆陪香祝下來, 酉刻抵府, 余往華寧殿大門外, 祗迎香祝, 大僚奉香祝于香大廳, 仍行殿內奉審, 余以提調隨入奉審後, 大僚仍處香大廳西偏房, 入謁還壯南軒。

〔狀啓〕

今月初十日, 華寧殿酌獻禮攝行獻官洪奭周到本府時, 臣依例出待境上事牒報矣, 題內"安徐"*亦爲白有等以* 緣由馳啟*爲白臥乎事*。

初十日。

平明行華寧殿酌獻禮, 余以提調, 與兼衛將金相宇、迎華察訪吳致健入參殿庭西班。禮畢, 左揆出西俠門外, 使守僕送言, 要更奉審小本御眞, 余以提調擧行, 左揆退座壯南軒早飯後, 仍往健陵、顯隆園奉審, 未刻還入府, 余呈公狀, 入謁于壯南軒。

〔獻官狀啓〕

本月初十日, 華寧殿酌獻禮敎是時, 臣以獻官, 陪奉香祝下來, 當日辰時設行後, 祭官職姓名後錄, 馳啟*爲白臥乎事*【獻官議政府左議政洪奭周, 典祀官兼殿司令水原府判官李敏榮, 執禮司僕正趙在慶, 大祝弘文館修撰權漫, 祝史司僕寺僉正李奎秀, 齋郞副司果李玄五, 贊者義盈庫直長姜渚, 謁者氷庫別檢鄭琬容, 祭監司憲府監察徐有隅】。

十一日。

平明, 左揆還發復命之行, 敍別于壯南軒 。

〔狀啓〕

今月十一日, 左議政洪爽周, 回還上京時, 臣依例陪行之意, 牒報矣, 題內"安徐"*亦爲白有等以*, 緣由馳啓*爲白臥乎事*。

十五日。

華寧殿焚香奉審後, 封啓。

〔狀啓〕

臣於今日, 華寧殿焚香後, 仍爲奉審, 則殿內諸處, 無頉*是白乎旀*, 卽接顯隆園參奉金益鼎牒呈, 則"今日, 園上、殿內奉審, 無頉"*是如爲白有等以*, 緣由馳啓*爲白臥乎事*。

同日。

農形, 封啓。

〔狀啓〕

卽接本府判官李敏榮牒呈, 則"境內農形, 秋麰向茂, 春麰向靑, 鍤役了畢, 早稻付種方張, 晩稻注秧及乾播, 今方始役"*是如爲白有等以*, 緣由馳啓*爲白臥乎事*。

同日。

祗受內賜虎皮, 封啓。

〔傳敎〕

以華寧殿酌獻禮時, 獻官以下員役等別單, 傳曰："獻官左議政洪奭周, 內下大豹皮一令賜給, 典祀官李敏榮, 上弦弓一張賜給, 執禮趙在慶、大祝權漫竝加資, 祝史李奎秀、齋郎李玄五、贊者姜渚、謁者鄭琬容、祭監監察徐有隅, 各上弦弓一張賜給, 提調徐有榘, 內下虎皮一令賜給, 兼衛將金相宇上弦弓一張賜給, 兼令李敏榮, 內下鹿皮一令賜給, 守門將洪時榮、金遠浩, 各上弦弓一張賜給, 員役等, 竝考例施賞

〔狀啓〕

本月十五日, 左副承旨林翰鎭成貼有旨內, "卿以華寧殿攝行酌獻禮時, 本殿提調, 內下大虎皮一令賜給, 使院吏賫傳, 卿其祗受事"有旨一度、及大虎皮一令, 院吏金鎭英, 當日申時量賫來*爲白有等以*, 臣在本營祗受, 緣由馳啓*爲白臥乎事*。

十六日。

華寧殿守僕、員役等, 依禮曹關施賞後, 封啓。

〔狀啓〕

*節到付*備邊司關內, "*節*啓下*教*, 以華寧殿酌獻禮時, 獻官以下員役等別單, 傳曰:'獻官議政府左議政洪奭周, 內下大豹皮一令賜給, 典祀官水原府判官李敏榮、執禮司僕寺正趙在慶、大祝弘文館修撰權漫竝加資, 祝史司僕寺僉正李奎秀、齋郎副司果李玄五、贊者義盈庫直長姜渚、謁者氷庫別檢鄭琬容、祭監司憲府監察徐有隅, 各上弦弓一張司給。提調水原府留守徐有榘[1], 內下虎皮一令賜給, 兼衛

---

1 有榘:《승정원일기(承政院日記)》 2328책 헌종(憲宗) 2년 3 14일 정유(丁酉) 11월 29일 기사에 의거

將水原府中軍金相宇, 上弦弓一張賜給, 兼令水原府判官李敏榮, 內下鹿皮一令賜給, 守門將洪時榮、金遠浩, 各上弦弓一張賜給, 其餘守僕、員役等, 竝令本府, 考例施賞事'傳敎*敎是置*, 傳敎內事意, 奉審施行"*爲白有等以*。謹依啓下關, 守僕、員役等, 施賞依已例, 以外帑庫所在米、布木磨鍊須給*是白遣*, 員役姓名、賞給物種, 後錄馳啓*爲白臥乎事*。

〔後錄〕

守僕黃在中等四人、殿直劉漢濟, 各木一疋米二斗, 照羅赤表判大等四名, 各布一疋米二斗, 軍士孫明福等四名, 各米五斗。以上木五疋布四疋米二石八斗。

十七日。

寅刻離發上京, 中火于果川, 午抵筆谷, 封啓。

〔狀啓〕

臣有廟堂稟議事, 當日發行上京, 緣由馳啓*爲白臥乎事*。

同日。

海溢, 各面飢民救急, 三巡分給。

一倉, 禮裨監分,

【松洞, 四十二口, 米八斗四升、太八斗四升。】

六、七倉, 座首監分,

【土津, 七十口, 米十四斗、太十四斗。

해 徐有榘의 "有榘"를 교감하여 추가하였음.

○ 五朶, 三十二口, 米六斗四升、太六斗四升。

○ 宿城, 七十四口, 米十四斗八升、太十四斗八升。

○ 浦內, 六十六口, 米十三斗二升、太十三斗二升。

○ 佳士, 三十五口, 米七斗、太七斗。

○ 玄巖, 四十六口, 米九斗二升、太九斗二升。】

九倉, 左列將監分,

【鴨汀, 九十九口, 米一石四斗八升、太一石四斗八升。

○ 長安, 七十四口, 米十四斗八升、太十四斗八升。

○ 草長, 四十五口, 米九斗、太九斗。

○ 雨井, 一百八十八口, 米二石七斗六升、太二石七斗六升。

○ 合各面, 七百七十一口, 各米二升、太二升, 合米十石四斗二升, 太十石四斗二升】

十八日。

進內閣, 校準御製, 仍進實錄廳。

十九日。

進內閣, 校準御製。

二十日。

進內閣, 校準御製, 仍進實錄廳。

二十一日。

進內閣, 校準御製, 仍進實錄廳。

二十二日。

進內閣, 校準御製。

二十三日。

進內閣, 校準御製。

二十四日。

以校吏料米劃送事, 文移廣州府。月初, 以校吏料米, 依例劃送事, 更爲文移南城, 論報籌司矣。回題內, "自本營, 往復該府, 務歸方便, 更毋至煩報向事。"

○ 南城回移內, "爲回移事, 卽到貴移"*是置有亦*, 弊營凋瘵之狀, 不待覼縷, 而貴營校吏料米一百七十三石零之當初換劃, 雖出於共濟之義, 年久遵行之事, 今乃變改, 亦非不知難愼。餉穀年年見縮, 支放不能排用, 目下事勢, 如前劃送, 萬無其路, 不得已論報籌司矣, 旣有各邑所在華料米換送之題, 故果爲換劃於貴營所屬各邑所在之穀者, 政是俱便之策*是加尼*。今到貴移, 若是持難, 蓋此通變, 亶出於萬不獲已, 而然且以近例言之, 原不以本色輸送, 該色輩論價執錢代納貴營者, 則今此移屬之穀, 一依貴營所屬五邑所在穀, 例本色與執錢間, 一體取用, 毫無所損於貴營*是遣*, 華倉穀*段*, 貴移中, 雖云手邊之物, 又有所不然者, 非但穀品之麤劣, 那倉之在本營, 卽一逋藪, 若以華倉所捧之耗, 果有劃送之道, 則豈有換劃於五邑穀之理乎? 頃於報籌司, 承回題之日, 待貴營知委擧行之意, 發關各邑, 則其在外邑擧行之道, 豈敢輕先盡分乎? 見今分還纔半, 畢糴尙遠, 則別無晩時之歎*是如乎*, 到今如例劃送, 非所可議*乙仍于*, 玆以回移*爲去乎*, 相考施行*向事*。

〔廣州移文〕

爲相考事。

弊營校吏料條米換劃事, 萬萬罔措, 更有文移而論報籌司矣。卽到貴營回移內, "旣承籌司換劃之題, 故以弊營句管穀中, 在於貴營所屬各邑者, 依數移劃"*是如乎旀*, 籌司回題內, "自本營, 往復該府, 務歸方便"*亦爲有置*。

今此料條米, 卽自弊營設始之初, 筵稟定式, 近五十年, 恪遵毋替之餘, 一朝毁劃, 豈不十分難愼? 而屢次往復, 一向靳持, 亦有欠於共濟之義, 故發關督飭於穀在各邑矣。皆以本邑所在南漢穀, 或入停退中, 或有民間未收, 及今收納, 末由其路*是如*, 同辭報來*是在如中*, 其中安城一群所劃耗條, 恰爲一百四十餘石之多, 而該郡所報, 以爲薦歉, 民情擧皆顣頷 雖剝膚椎髓, 斷無可捧之望*乙仍于*, 自廣州府連有嚴關督捧 而事勢如右, 待秋寬限之意, 業有所論報而已, 蒙許施*是乎所*, 今雖移付本營, 有此嚴飭, 此時督納, 係是行不得之政*是如爲置*, 本營凋弊, 一時爲急, 非此一條路, 則無他着手處, 而換劃穀物, 名存實無, 殆同劃中之餠*是如乎*, 旣未推來於貴營, 又不得責納於各邑, 許多校吏, 奉虛望哺, 料條闕放, 已至三朔, 目下壅悶之狀, 已無可言*是乎旀*。假使眞箇換劃於各邑*是良置*, 耗條移推, 當自今秋爲始*是去乙*, 昨年耗條, 卽歲前已勘者, 則今豈可追後換劃*是旀*, 又況各邑指徵無處之穀, 當此窮春, 將於何責捧乎? 此箇事理, 燎然可見*是如乎*, 今年耗米一百七十三石零*段*, 如例劃送, 俾得頒料*是遣*, 各邑耗條*段*, 自今秋爲始, 換劃甚合方便之道*乙仍于*, 玆更文移*爲去乎*, 相考施行*向事*。

二十五日。

農形封啓。

〔狀啓〕

卽接本府判官李敏榮牒呈，則"境內農形，秋麰苗長，春麰向靑，早稻付種了畢，晩稻注秧及乾播方張"*是如爲白有等以*，緣由馳啟*爲白臥乎事*。

二十六日。

進內閣，校準御製。

二十七日。

宗廟永寧殿還安時，西班陪從，申後進參候班。

同日。

海溢，各面飢民救急，四巡分給。

一倉，禮裨監分，

【松洞，四十二口，米八斗四升、太八斗四升。】

六、七倉，座首監分，

【○ 土津，七十口，米十四斗、太十四斗。

○ 五朶，三十二口，米六斗四升、太六斗四升。

○ 宿城，七十四口，米十四斗八升、太十四斗八升。

○ 浦內，六十六口，米十三斗二升、太十三斗二升。

○ 佳士，三十五口，米七斗、太七斗。

○ 玄巖，四十六口，米九斗二升、太九斗二升。】

九倉, 左列將監分,

【鴨汀, 九十九口、米一石四斗八升、太一石四斗八升。

○ 長安, 七十三口, 米十四斗六升、太十四斗六升。

○ 草長, 四十五口, 米九斗、太九斗。

○ 雨井, 一百八十八口, 米二石七斗六升、太二石七斗六升。

○ 合各面, 七百七十口, 各米二升、太二升, 合米十石四斗、太十石四斗】

병신년丙申年 1836년, 헌종憲宗 2년 4월

四月初一日。

孝成殿晝茶禮親行時, 從陞, 仍進內閣, 校準御製。

同日。

華寧殿奉審, 封啓。

〔狀啓〕

卽接華寧殿兼衛將金相宇牒呈, 則"今月初一日, 焚香後, 仍爲奉審, 則殿內諸處, 無頉"*是如爲白乎旀*, 同時*到付*, 顯隆園參奉金益鼎牒呈內, "今月初一日, 園上、殿內奉審無頉"*是如爲白有等以*, 緣由馳*啟爲白臥乎事*。

初三日。

孝和殿夏享大祭, 香祝親傳時, 從陞, 仍進內閣, 校準御製。

初四日。

孝成殿夏享大祭親行時, 從陞。

初五日。

賓對進參, 仍進內閣, 校準御製。

初六日。

農形封啓。

〔狀啓〕

卽接本府判官李敏榮牒呈, 則"境內農形, 秋麰已盡胚胎, 間間發穗, 春麰茁長, 早稻付種立苗, 晩稻注秧, 及乾播已畢"*是如爲白有等以*, 緣由馳啟*爲白臥乎事*。

同日。

進內閣, 校準御製。

初七日。

進內閣, 校準御製。

同日。

海溢, 各面飢民救急, 五巡分給。

一倉, 禮裨監分,

【松洞, 四十二口, 米八斗四升、太八斗四升。】

六、七倉, 座首監分,

【○ 土津, 七十口, 米十四斗、太十四斗。

○ 五朶, 三十二口, 米六斗四升、太六斗四升。

○ 宿城, 七十四口, 米十四斗八升、太十四斗八升。

○ 浦內, 六十六口, 米十三斗二升、太十三斗二升。

○ 佳士, 三十五口, 米七斗、太七斗。

○ 玄巖, 四十六口, 米九斗二升、太九斗二升。】

九倉, 右列將監分,

【鴨汀, 九十九口、米一石四斗八升、太一石四斗八升。

○ 長安, 七十三口, 米十四斗六升、太十四斗六升。

○ 草長, 四十五口, 米九斗、太九斗。

○ 雨井, 一百八十八口, 米二石七斗六升、太二石七斗六升。

○ 合各面, 七百七十口, 各米二升、太二升, 合米十石四斗、太十石四斗】

初八日。

以牙痛症, 不得進內閣。

初九日。

雨澤封啓。

〔狀啓〕

卽接本府判官李敏榮牒呈, 則"今月初八日量始雨, 或霏或灑, 同日申時至所得恰爲浥塵, 而營下測雨器水深爲三分"*是如爲白有臥乎所*。惜乾之餘, 甘澍伊始濈潤, 無幾旋卽開霽, 言念民事, 極爲悶然, 緣由馳啟*爲白臥乎事*。

十二日。

因籌司啓下關, 本府流、節還蕩減事, 封啓。

〔狀啓〕

*節到付*備邊司關內, "*節*啓下*教*, 今四月初五日, 藥房入診, 大臣、備局堂上引見入侍時, 左議政洪爽周所啓, '臣於今番華城之行, 略有弊端之訪問者, 而皆非一朝一夕之所可遽矯, 居留之臣, 方欲爛加商度, 徐議釐捄, 而本府流絶之還, 合爲七百餘石, 前已狀請排年, 而所捧之數, 極其些略, 此旣皆指徵無處者, 則雖曰排年分捧, 而小

民之無辜受害, 則一也。糴法至嚴, 固不容以其難捧之故而輒議闊狹, 向來南城蠲蕩之恩, 卽是格外之特典, 有非自下所敢援例仰請者, 而第念本府事體之重, 又不啻南城之比, 粤自昔年, 偏被我正廟曠絶之惠澤, 如耗條之全數除減, 乃是諸道列郡所未有之例, 其在繼述之義, 不宜使有一夫之呼冤, 故敢此仰達矣', 大王大妃殿答曰 : '華城卽陵園寢所奉之地, 且昔年軫念自別, 特爲蕩減, 使不當之民, 無冤徵之弊可也事'傳教*教是置*。傳教內事意, 奉審施行"*亦爲白有臥乎所*。

今此蠲蕩之教, 寔出曠絶之澤, 凡在分憂之地, 宜盡對揚之道*是白乎等以*, 謹將批旨內辭意, 曉諭坊曲, 使愚夫、愚婦, 咸有以仰頌, 如傷若保之盛德至意*爲白乎旀*, 緣由馳啟*爲白臥乎事*。

十五日。

華寧殿奉審, 封啓。

〔狀啓〕

卽接華寧殿兼令李敏榮牒呈, 則"今月十五日, 焚香後, 仍爲奉審, 則殿內諸處, 無頉"*是如爲白乎旀*, 同時*到付*顯隆園令李象祖牒呈內, "今月十五日, 園上、殿內奉審無頉"*是如爲白有等以*, 緣由馳啟*爲白臥乎事*。

同日。

雨澤封啓。

〔狀啓〕

卽接本府判官李敏榮牒呈, 則"今月十四日申時量始雨, 或霏或灑, 當日卯時至所得恰爲一鋤, 而營下測雨器水深爲五分"*是如爲白乎所*。

再次得雨, 猶未浹洽, 繼而霈然, 方切顒祝, 緣由馳啟*爲白臥乎事* 。

十六日。

農形封啓。

〔狀啓〕

卽接本府判官李敏榮牒呈, 則"境內農形, 秋麰發穗, 春麰胚胎, 而惱旱之餘, 間多白颯。早稻付種向靑, 晩稻注秧, 及乾播已盡立苗" *是如爲白有等以*, 緣由馳啟*爲白臥乎事*。

十七日。

海溢, 各面飢民救急, 六巡分給。

一倉, 禮裨監分,

【松洞, 四十一口, 米八斗二升、太八斗二升。】

六、七倉, 座首監分,

【○ 土津, 七十口, 米十四斗、太十四斗。

○ 五朶, 三十二口, 米六斗四升、太六斗四升。

○ 宿城, 七十四口, 米十四斗八升、太十四斗八升。

○ 浦內, 六十六口, 米十三斗二升、太十三斗二升。

○ 佳士, 三十五口, 米七斗、太七斗。

○ 玄巖, 四十六口, 米九斗二升、太九斗二升。】

九倉, 右司把摠監分,

【鴨汀, 九十九口、米一石四斗八升、太一石四斗八升。

○ 長安, 七十三口, 米十四斗六升、太十四斗六升。

○ 草長, 四十五口, 米九斗、太九斗。

○ 雨井, 一百八十八口, 米二石七斗六升、太二石七斗六升。

○ 合各面, 七百六十九口, 各米二升、太二升, 合米十石三斗、太十石三斗】

二十二日。

校吏料米, 自廣州代劃者, 以他樣穀區劃事, 論報籌司。

〔南城回移〕

爲回移事。

卽到貴移*是置有亦*, 貴營校吏料條事, 前後往復, 非止一再, 則今無容更復架疊。而弊營餉穀, 枵罄無餘之中, 昨年未捧, 又復夥多, 本城支放之需, 亦無以排用, 則貴營料米之劃送, 可謂皮之不存, 故所以有穀籌司之擧者, 誠出於事勢之不得不然也。苟有一分變通之道, 則流來之舊規, 豈有毁劃之理哉? 外邑餉耗*段*, 換劃之意, 發關知委, 旣在於正月, 則在外邑, 固當依關辭擧行*是去乙*, 謂以收納之末由, 尙今遲滯云者, 實不勝駭歎。到今責納一款, 惟在於穀在各邑*是遣*, 自弊營, 如例劃送, 萬無其路*乙仍于*, 玆更文移*爲去乎*, 相考施行, 爲宜*向事*。

〔備局報牒〕

爲相考事。

本營校吏料條米, 自廣州代劃者, 責捧無路, 更有所論報矣。司*敎是*題辭內, "自本營, 往復該府, 務歸方便, 毋至煩報"*亦敎是如乎*, 謹依題辭辭意, 備控目下罔措之實狀, 文移於廣州府矣。

該營回移內, "年久遵行之事, 今乃變改, 非不知難愼, 而餉穀年年見縮, 支放不能排比, 目下事勢, 實無如例劃送之路, 論報籌司,旣承換送之題敎, 故果以貴營所屬邑, 依數代劃者, 政是俱便之策"*是如*。

一例靳持, 未見諒察, 其在共濟之義, 亦不可徒事相持*乙仍于*, 不得已發關, 督納於穀在各邑, 則皆已本邑所在南漢穀, 或入停退中, 或有民間未捧, 及今收納, 其勢末由*是如*, 同辭報來*是在如中*, 其中安城一郡, 所劃耗條, 恰爲一百四十石之多, 而該郡所報, 以爲荐歉糴簿, 擧皆枵罄, 窮春民情, 轉益遑汲, 雖斗斛之徵, 斷無可捧之望。自廣州府, 屢有關督, 而事狀如右, 以待秋寬限之意, 業有所論報, 而已蒙許施, 則今雖移付本營, 有此關飭*是乃*, 此時徵捧, 萬萬行不得之政*是如爲有置*。然則所謂換劃穀物, 名存實無, 殆同畵中之餠, 而校吏料米, 遂成無麵之不飥, 歲翻以後, 于今四朔, 尙不得支放升合*是如乎*, 本府校吏, 自來無他資活所恃, 而爲命者, 只有"斗料"而已。況當荐歉之餘, 使許多望哺之類, 一朝失口吻中物, 此其勢, 除非朝夕塡壑, 則唯有散而之四而已, 罔措云云, 猶屬歇后語矣。

本府校吏料條之設始, 粤在昔年移邑之初, 伊時筵臣擧條批旨, "若曰 : 一念憧憧者, 新邑校吏之資活, 軫念之聖意, 逈越尋常, 及夫節目成出之後, 又以若待秋成捧糴之時, 則其間幾月, 不可使之無料供役, 特命限九月捧糴前, 直就廣州倉留庫穀中, 每朔料米 分排出給"*敎是乎所*。當初設置法意之嚴重*如是矣*, 于今四十餘年之間, 雖値己巳甲戌等慘歉*是良置*, 初不擬議於通變者, 誠以當初設置之規, 便成關和, 有不敢遽然毁劃故耳, 豈意今日, 忽當此阨塞之境界乎? 目下壅悶, 日甚一日, 而各邑事情, 雖剝膚椎髓*良置*, 實無一半包責納之道*乙仍于*, 冒昧煩報之懼, 玆更據實枚報*爲去乎*, 司敎是細賜參商, 特軫俱便之方, 同料條米一百七十三石零*段*, 以他某樣, 見在穀準數區劃, 俾得及今頒料, 以爲一分支保之地*爲只爲*。

二十四日。

進內閣, 校準御製。

二十五日。

進實錄廳。

二十六日。

農形封啓。

〔**狀啓**〕

卽接本府判官李敏榮牒呈, 則"境內農形, 秋麰向黃, 春麰發穗, 而惱旱白颯。早稻付種, 初除草方始, 晩稻乾播向靑, 有水根處, 間或移秧, 水根不足處, 惜乾堅涸, 翻耕無術"*是如爲白臥乎所*, 際此一霈, 方切顒祝, 緣由馳啓*爲白臥乎事*。

二十七日。

赴豐恩府院君壽席。

同日。

海溢, 各面飢民救急, 七巡分給。

一倉, 禮裨監分,

【松洞, 四十一口, 米八斗二升、太八斗二升。】

六、七倉, 座首監分,

【○ 土津, 七十口, 米十四斗、太十四斗。

○ 五朶, 三十二口, 米六斗四升、太六斗四升。

○ 宿城, 七十四口, 米十四斗八升、太十四斗八升。

○ 浦內, 六十六口, 米十三斗二升、太十三斗二升。

○ 佳士, 三十五口, 米七斗、太七斗。

○ 玄巖, 四十六口, 米九斗二升、太九斗二升。】

九倉, 中司把摠監分,

【鴨汀, 九十九口、米一石四斗八升、太一石四斗八升。

○ 長安, 七十三口, 米十四斗六升、太十四斗六升。

○ 草長, 四十五口, 米九斗、太九斗。

○ 雨井, 一百八十八口, 米二石七斗六升、太二石七斗六升。

○ 合各面, 七百六十九口, 各米二升、太二升, 合米十石三斗八升、太十石三斗八升】

二十八日。

以校吏料條事, 更移廣州府。

〔**移文**〕

爲相考事。

弊營校吏料條事, 屢度往復, 迄未見諒, 悶鬱阨塞, 不知所云。蓋此料條之設始, 粤在昔年移邑之初, 伊時筵臣擧條批旨, "若曰：一念憧憧, 新邑校吏之資活, 軫念之聖意, 逈越尋常, 及夫節目成出之後, 又以若待秋成捧糴之時, 則其間幾月, 不可使之無料供役, 特命限九月捧糴前, 直就廣州倉留庫穀中, 磨錬出給"*敎是乎遣*, 又命, "節目成出兩件, 分藏兩營"*敎是乎所*。貴營, 亦當有藏弃之本矣。

至今四十餘年之間, 雖値己、甲等慘歉, 初不擬議於通變者, 豈不以當初設置之法意, 綦嚴且重? 有不敢遽然毁劃也歟! 今此換劃之擧, 固知貴營事勢之萬不獲已, 則其在共濟之義, 亦不可一向相持*乙仍于*, 依移辭責納于各邑, 則擧皆以昨冬未捧, 一辭推托*乭除良*, 其中安城所劃, 幾爲十分之九, 而該邑報辭, 以爲荐歉糶簿, 擧皆枵罄窮春, 民情轉益遑汲, 雖剝膚椎髓, 斷無一半包可捧之望*是如云爾*, 則所謂換劃耗條, 都是畵中之餠, 而校吏料米, 遂成皮不存之毛矣。歲翻以後, 于今四朔, 尙不得支放升合*是如乎*, 本營校吏之聊賴, 自來殘簿, 所恃而爲命者, 只是如于"斗料", 而況當荐歉之餘, 使許多望哺之類, 一朝失口吻中物, 此其勢必至於渙散, 乃已罔措云云, 猶屬歇后語矣。到今一分方便之策, 喩有今年料條*段*, 自貴營從便拮据輸送*是遣*, 各邑換劃穀*段*, 待秋捧幷督兩年耗條, 而昨年耗, 則貴營推用, 今年耗, 則弊營推去, 則兩相俱便, 少無窒碍之端, 捨此一條, 更無他道*是如乎*。本色與時價, 若難如例輸送, 則雖以貴營詳定*是良置*, 趂卽準數劃送, 以爲及今頒料之地*爲乎旀*, 安城初非弊營屬邑*是隱則*, 耗條推用, 亦甚難, 便安城所劃一百四十餘石, 亦卽分排於弊營屬五邑, 以爲自今年秋捧, 準數推用之地*爲宜向事*。

二十九日。

還營。

早朝離發, 到鷺梁, 遇驟雨一陣, 到始興縣, 午炊旋發, 到萬安橋, 又遇雨一陣, 酉刻抵府, 則是日得雨, 爲一寸一分云, 封發雨澤啓, 又封還營啓。

〔雨澤狀啓〕

即接本府判官李敏榮牒呈, 則"今月二十八日卯時量, 始雨或霏或止*是如可*, 二十九日辰時量, 更爲霔灑, 同日申時至所得幾近一犁"*是如爲白乎旀*。臣營測雨器水深, 爲一寸一分*是白如乎*。惜乾之餘, 得此甘澍, 言念民事, 誠爲萬幸, 而同雲未解, 尙有雨意, 嗣後所得, 鱗次登聞計料, 緣由馳啟*爲白臥乎事* 。

〔還營狀啓〕

臣有廟堂稟議事, 上京*爲白有如可*, 當日還營, 緣由馳啟*爲白臥乎事*。

병신년丙申年 1836년, 헌종憲宗 2년 5월

五月初一日。

華寧殿夏大奉審後, 封啓。

〔狀啓〕

華寧殿夏孟朔大奉審元定*是白在*, 去月十五日, 當爲擧行, 而臣在京未還, 不得擧行*是白遣*, 今月初一日, 焚香後, 與兼令臣李敏榮、兼衛將臣金相宇, 眼同奉審*是白乎*, 則殿內諸處, 俱爲無頉*是白乎旀*, 卽接顯隆園令李象祖牒呈, 則"今日園上、殿內奉審, 無頉"*是如爲白有等以*, 緣由馳啟*爲白臥乎事*。

初三日。

雨澤封啓。

〔狀啓〕

去月二十九日申時至, 得雨一寸一分之由, 已爲馳啟*爲白有在果*, 卽接本府判官李敏榮牒呈, 則"伊後或霏微或止歇*是如可*, 今月初二日申時量, 更爲霔灑, 初三日, 卯時至所得, 恰爲一鋤"*是如爲白乎旀*, 臣營測雨器水深, 爲七分*是白如乎*, 秧節已屆, 尙靳周洽, 繼此霈然, 方切顒望, 緣由馳啟*爲白臥乎事*。

同日。

以勸飭農務事, 甘結判官。

〔甘結〕

右甘爲營門下車之初, 卽以勸農一事, 別甘知委*是加尼*, 未知各面面任輩之擧行勤慢, 如何*是喩*? 閱月惜乾之餘, 數次甘澍, 豈勝萬幸? 趨澤之急, 爭以時刻*是如乎*, 今番所得, 雖未高低周洽, *是乃*先從有水根處, 次次移秧*是遣*, 無水根處*段*, 更待雨澤, 隨宜奏功*是隱則*, 其在農民紓力之道. 大有勝於一齊奔忙*是乎所*, 所不能弛慮者, 惰農之仍循失時, 窘民之未辦鎡器也。無牛無粮之類, 曉喩隣里, 互相借助, 毋至淹延時日, 蹉失節候之地*爲旀*, 或有因病廢農者*是去等*, 自該里合力扶助, 切勿越視之意。面任周行阡陌, 面面董飭*爲乎矣*, 初伏前後, 營門多遣摘奸別岐監察計料*爲去乎*, 萬一有片之隙土, 可墾而不墾, 把禾握秧, 可移不移, 當此雨順風調之時, 忽致田土曠廢之歎, 則是豈營門一念憧憧, 屢勤提飭之本意乎? 當該面里任, 斷當別樣嚴究*是遣*, 該里頭頭人*段*, 亦難免全昧任恤之責, 以此甘辭, 翻謄知委于各面, 風憲勸農等任, 俾各惕念擧行, 形止亦卽牒報*宜當事*。

初五日。

顯隆園端午祭享, 以獻官進參。

〔祭享啓本〕

謹啓爲祭享事。

今月初五日, 行顯隆園端午祭享時, 丁字閣月臺右邊, 甎石動退處修改。兼告由祭享, 臣以獻官進參設行後, 園上奉審, 雜草、雜木無*乎是白遣*, 四山之內, 亦無樹木犯斫之弊*是白乎旀*。祭官職姓名, 開錄于後, 緣由馳啓*爲白臥乎事*。

同日。

是曉過享後, 仍宿齋室, 待天明, 進詣園上, 奉審丁字閣月臺修改役處。巳刻還營, 午刻, 華寧殿日次奉審。

〔禮曹移文〕

爲相考事。

*節*啓下*教*曹單子, "因大臣筵奏, '顯隆園丁字閣月臺右邊, 甎石動退處, 端午祭享, 兼行告由, 始役事定奪矣。修改吉日時, 令日官李秉洪推擇, 則來五月十三日卯時爲吉云, 以此日時擧行, 而先告事由祭, 節享祝文中, 措辭添入, 所入物種, 令本府磨鍊進排, 亦令本園官員, 兼監役修改事, 幷以分付如何?', '啓依所啓施行事', 啓下*爲有置*。啓下內辭意, 奉審擧行[2], 所入物種, 磨鍊進排, 趁吉日時修改事, 相考施行"*向事*。

初六日。

農形封啓。

〔狀啓〕

卽接本府判官李敏榮牒呈, 則"內農形, 秋麰間間刈取, 春麰向黃, 早稻付種, 初除草方張, 晩稻乾播, 初除草方始, 有水根洞沓, 方張移秧"*是如爲白有臥乎所*。日前再次雨澤, 尙未周洽, 高燥之畓, 尙今仰壟待雨, 際此霈然, 轉切顒望, 緣由馳啟*爲白臥乎事*。

初九日。

出往祝萬堤, 審察農形。

2 擧行 : 저본에는 없으나 앞의 책 같은 달 13일 기사를 참고하여 추가하였다.

初十日。

華寧殿奉審。

十一日。

校吏料米, 廣州以代錢輸送。

〔**廣州移文**〕

卽到貴移*是置有亦*, 貴營校吏料米事, 已悉於前後往復, 今不必架疊。而蓋其換劃之擧, 實出於事勢之萬不獲而已然*昆除良*, 當初移劃之時, 必欲以貴營所屬五邑所在穀全數區劃*是乎矣*。五邑所在穀, 不滿一千八百餘石零, 故至於安城穀添劃之境*是加尼*, 今到貴移, 若是鄭重, 其在於共濟之義, 有不可一直相持*乙仍于*。安城所劃米一千五百六十一石零*段*, 更以龍仁、南陽、竹山、陽城等邑之穀, 換劃後錄, 文移一邊, 發關知委於各該邑*爲去乎*, 此則自今年耗爲始, 待秋推用之地*爲旀*, 昨年耗中不足條一百四十四包零*段*, 貴移內, "以弊營詳定輸送云"*是乎矣*。

既不以本色而以詳定劃送, 則毋論京外詳定, 每石三兩, 卽是通行之例, 故依例以每石三兩, 準數輸送*是乎旀*, 初次移劃諸邑中, 安城外他邑*段*, 非但穀數之無多, 到今移易, 亦不無銷刻之嫌, 此則依前移, 竝與昨年耗, 而自貴營從便推捧, 實合便宜*是如乎*, 幷以相考施行事。

十三日。

雨澤狀啓。

〔狀啓〕

卽接本府判官兼任中軍金相宇牒呈, 則"今月十一日申時量始雨, 或霏或灑, 間或止歇, 十二日酉時至所得爲二鋤"*是如爲白乎旀*, 臣營測雨器水深爲一寸二分*是白如乎*, 惜乾頗久, 甘澍伊時, 繼此霈然, 方切顒祝, 緣由馳啟*爲白臥乎事*。

同日。

顯隆園丁字閣月臺修改始役, 卯刻進詣董役, 申刻還營。

〔狀啓〕

*節到付*禮曹關內, *節*啓下*教*曹單子, "因大臣筵奏, '顯隆園丁字閣月臺右, 邊甎石動退處, 端午祭享, 兼行告由, 始役事定奪矣。修改吉日時, 令日官李秉洪推擇, 則來五月十三日卯時爲吉云, 以此日時擧行, 而先告事由祭, 節享祝文中, 措辭添入, 所入物種, 令本府排鍊進排, 亦令本園官員, 兼監役修改事, 幷以分付何如?', '啓依所啓施行事', 啓下*爲有置*。啓下內辭意, 奉審擧行"*亦爲白有等以*。

端午祭享時, 兼行告由之由, 已爲馳啟*爲白有在果*, 謹依推擇日時, 今十三日卯時, 始役修改, 而臣於當日, 亦爲馳詣, 與本園令李象祖、參奉趙秉緯眼同董役*爲白乎旀*, 緣由爲先馳啟*爲白臥乎事*。

十五日。

華寧殿焚香奉審後, 封啓。

〔狀啓〕

臣於今日, 華寧殿焚香後, 仍爲奉審, 則殿內諸處無頉*是白乎旀*, 卽接顯隆園參奉趙秉緯牒呈, 則"今日園上、殿內奉審, 無頉"*是如爲白有*

等以, 緣由馳啟*爲白臥乎事*。

同日。

雨澤及農形, 封啓。

〔**狀啓**〕

卽接本府判官兼任中軍金相宇牒呈, 則"今月十五日寅時量始雨, 或霏灑或滂沱, 同日卯時至所得恰爲三犁。而境內農形*段*, 秋麰已盡刈取, 春麰間間刈取, 早稻付種, 初除草已畢晚稻乾播, 初除草方張, 移秧方張, 豆太根耕方始"*是如爲白乎旀*。臣營測雨器水深爲四寸五分*是白如乎*, 秧節漸晚, 望霓政切*是白在如中*, 甘霈如幾, 高低周洽, 言念民事, 誠爲萬幸, 見今油雲四集, 霏灑不已, 嗣後所得, 鱗次等聞計料, 緣由馳啟*爲白臥乎事*。

十六日。

以勸飭農務事, 更甘兼判官。

〔**甘結**〕

右甘爲近以暵乾, 晝宵憂慮*是在如中*, 昨日半尺之雨, 奚啻渴者之得金莖露也? 始以霢霂, 終爲滂沱汰落, 非所可虞, 高低無不周洽, 穰穰之豐, 可執左契。而所不能弛慮者, 特人力之未至耳, 借助勸相之節, 前已別甘申飭*是加尼*, 各面面任輩, 果皆悉心擧行? 毋負營門苦心*是喩*, 趨澤之急, 爭以咎刻, 苦或遷延時日, 放失畦中之水, 竟致陳荒之歎, 則當者之怠農, 已無可言, 任掌之慢令, 罪當何居? 高燥田夫, 每多貧寒, 無牛而借牛之, 粮而助粮, 俾卽及時移秧*是如可*, 日後鋤役, 計傭受償*是隱則*, 高田低田, 無一未移, 貧戶饒戶, 兩無所失, 此非但隣里厚風*亦是*, 國典所載, 以此意更加申明知委*爲乎矣*。差觀時日分遣, 摘奸計料*爲去乎*, 萬一有片地隙土*良置*, 失節未移之弊, 則當該面里任等, 斷當別樣嚴究, 今日內飜騰甘辭, 知委各面, 俾無一民未知之弊, 宜當*向事*。

十八日。

雨澤封啓。

〔狀啓〕

今月十五日卯時至, 得雨四寸五分之由, 已爲馳啟*爲白有在果*, 續接本府判官李敏榮牒呈, 則"伊後或霏灑或止歇, 十七日酉時至所得又爲一犁"*是如爲白乎旀*, 臣營測雨器水深, 爲一寸八分, 通計前後合爲六寸三分, 而油雲未收, 似有成霖之慮*是白乎等以*, 緣由馳啟*爲白臥乎事*。

同日。

還餉加分事, 封啓。

〔狀啓〕

卽接本府判官李敏榮牒呈, 則"以爲會付還餉, 自來不敷, 雖在常年, 每請加分*是在如中*, 今年*段*, 昨秋失稔, 停捧旣多, 窮春還戶, 此前倍蓰, 況當農務方殷之時, 民情轉益遑急, 還餉留庫條中, 租五千四十八石八斗三升、米二千八百四十七石一斗二升、太三天三百八十五石八斗八升, 特請加分, 俾卽繼給"*亦爲白乎旀*。

連接屬邑安山郡守金原淳、龍仁縣令李澗、振威縣令吳謹常、始興縣令李鳴遠、果川縣監鄭晩敎所報, 則"以爲邑還尠少, 排進無路,本府所管南漢餉租留庫條中，安山三百石、龍仁二千二百五十一石九斗二升、振威一千七百七十九石七斗三升、始興五百九十石七斗五升、果川六百五十七石九斗三升，依已例加分事，報來*是白乎所*，還餉法意，非不嚴重，而諸邑民情，誠如報辭，今若徒懷嚴畏，不思變通，則有非勸農補助之道"*是白乎等以*。慈嚴據實登聞*爲白去乎*，本府還餉留庫條中租合一萬一千二百八十一石三斗三升及五邑所在餉租五千五百七十九石三斗三升，特許加分事，令廟堂稟旨分付*爲白只爲*。

【〔備局回關〕

爲相考事。

"*節*啓下*教*司啓辭，'卽見水原留守徐有榘[3]狀啓，則以爲「會付還餉，自來不敷，而昨秋失稔，停捧旣多，今當農務方殷之時，排進無路，民情遑急，本府還餉留庫中，租、米、太合一萬一千二百八十一石零，特許加分事，請令廟堂稟旨分付矣」。歉餘民勢，在所軫念，秋節農粮，尤急補助，而所請石數，終涉過多，本府留庫中，租、米、太合五千石、屬邑餉租中三千石，特許加分何如'，答曰：'允事'傳敎*敎是置*，傳敎內事意，奉審施行*向事*。"】

十九日。

顯隆園丁字閣月臺畢役後，封啓 。

〔狀啓〕

顯隆園丁字閣月臺磚石動退處，自今十三日卯時，始役修改之由，前已馳啓*爲白有在果*，月臺西邊階砌廣六把，南邊近西階砌廣三把，

3 有榘：저본에는 □□. 앞의 책 1836년(헌종 2) 5월 19일 기사에 근거하여 추가하였다.

幷撤退後, 用沙礫築實地底, 另鋪地臺石一層, 仍以舊排階石地臺石一層, 依前改排*是白遣*。月臺上面所鋪方甎及下面所鋪磚石鱗級退罅處, 一幷改鋪, 丁字閣東、西、北階砌石傾仄者, 亦爲一一改排, 今十八日至畢役*是白乎旀*, 所入物力, 自臣營筦千庫進排, 由馳啟*爲白臥乎事*。

二十日。

陪香祝詣顯隆園, 奉審月臺役處, 閣臣李臺憲瑋下來。

二十一日。

顯隆園忌辰祭享, 以獻官進參, 仍與奉審閣臣還營。

〔啓本〕

謹啓爲祭享事。

今月二十一日, 行顯隆園忌辰祭享, 臣以獻官進參設行後, 園上奉審, 雜草雜木無*乎是白遣*, 四山之內, 亦無樹木犯斫之弊, 祭官職姓名, 開錄于後, 緣由馳啟*爲白臥乎事*。

同日。

以御製校正監印閣臣, 蒙恩資有旨及教諭書祗受後, 封啓。

二十日以純宗大王御製、翼宗大王御製繕寫時及列聖御製合附本奉印時, 校正監印閣臣以下別單, 傳曰 : "原任提學南公轍、沈象奎、洪奭周、朴宗薰, 各鞍具馬一匹面給, 提學趙寅永、原任提學鄭元容、提學徐有榘、檢校直提學徐憙淳、直提學朴永元、原任直閣徐俊輔、李光文、李嘉愚、李景在, 竝加資, 吳取善, 內下虎皮一令賜給。直閣李公翼、原任待教李憲璋、金正喜、檢校待敎趙斗淳, 竝加資, 金學性, 內下虎皮一令賜給。待敎金洙根, 陞六, 兼檢書官柳本藝、元有永, 檢書官朴宗永、安季良、金鳳敍、金箕淳, 竝相當職調用, 未陞六人陞敍, 寫字官洪聖老等二人、畫員張駿良、繕寫寫字官李希龍等二十五人, 令內閣考其工課, 依甲戌年例施賞, 擇日官朴周煥、御製色書吏朴完基等二人, 依甲戌年例施賞, 前御製色書吏姜鳳一、劉在建, 竝帖加擧行, 書吏以下員役工匠等, 竝依甲戌年例施常。” 傳曰 : “御製繕寫時, 校準閣臣原任提學南公轍、沈象奎、洪奭周、朴宗薰, 各內下豹皮一令賜給, 提學趙寅永、原任提學鄭元容、提學徐有榘、檢校直提學徐憙淳、直提學朴永元、原任直閣徐俊輔、李光文、李嘉愚、原任待敎李憲璋, 各內下虎皮一令賜給, 原任直閣李景在·吳取善、直閣李公翼、原任待敎金正喜、檢校待敎趙斗淳、金學性、待敎金洙根, 各內下鹿皮一令賜給, 兼檢書官柳本藝、元有永、檢書官朴宗永、安季良、金鳳敍、金箕淳, 各上弦弓一張賜給, 寫字官以下, 令內閣考其工課, 竝與員役、工匠等, 依辛酉年例施賞。” 傳曰 : “純宗大王御製、翼宗大王御製、列聖御製合附本, 奉謨堂、文獻閣、五處史庫外, 奎章閣內閣、玉堂、藏書閣、西庫, 各一件奉藏, 監印閣臣原任提學南公轍、沈象奎、洪奭周、朴宗薰、提學趙寅永、原任提學鄭元容、提學徐有榘、檢校直提學徐憙淳、直提學朴永元、原任直閣徐俊輔、李光文、李嘉愚、李景在、吳取善、直閣李公翼、原任待敎李憲璋、金正喜、檢校待敎趙斗淳、金學性、待敎金洙根, 各一件頒賜。”

是日政, 正憲下批。

〔**狀啓**〕

本月二十一日, 同副承旨權溭成貼有旨內, "卿以御製校正監印閣臣, 加資敎諭書改書安寶, 使院吏齎傳, 卿其祗受事。" 有旨一度及敎諭書一度、諭書一度, 政院書吏池胤璧齎來*爲白有等以*, 臣於當日, 在本營祗受, 緣由馳啟*爲白臥乎事* 。

二十二日。

春等賞試射, 開場于東將臺, 試取頒賞。

二十三日。

別軍官入屬取才, 使中軍設行, 移文兵曹。

〔**移文**〕

爲相考事。

弊營別軍官額數, 姑未充定*乙仍于*, 境內宣部薦出身, 依節目取才*是如乎*。三枝入格, 爲十二人*是乎等以*, 姓名矢數, 修成冊以送*爲去乎*, 相考施行*向事*。

二十四日。

曉發往栢峰, 與養吾少話, 仍行茶禮于山所, 戌刻還營。

二十五日。

華寧殿奉審, 是日陰曀, 只閤外奉審。

二十六日。

農形封啓。

〔狀啓〕

卽接本府判官李敏榮牒呈，則"境內農形，春麰已盡刈取，早稻付種，再除草方始，晩稻乾播，初除草已畢，移秧已畢，豆太根耕方張"*是如爲白有等以*，緣由馳啟*爲白臥乎事*。

同日。

傳令晴湖面任。

〔傳令〕

爲知悉擧行事。

前以趨澤時急，而或因病故或因窘跲，蹉却時候，走失畦水，則仍以陳廢，不能無慮*乙仍于*，隣里顧助措辭甘飭*是加尼*，今聞本面烏山、場村，有患時令廢耕之戶。而該洞農民四十餘人，相議顧助，注秧者借牛移揷，付種者合力鋤治云。此何等厚風聞來，不勝嘉尙，淸酒十鐥正肉三斤出送*爲去乎*，面任卽爲進詣該村，聚會頭頭人及伊日赴役田夫，以此意傳及饋酒*爲乎矣*，他村如何，從當這這探察，或有"反於此之事"，亦當有"反於此之罰"，意實寓於"投醪政"，則急於易畝，此意一體，知悉宜*當事*。

二十七日。

雨澤狀啟。

〔狀啓〕

卽接本府判官李敏榮牒呈，則"今月二十六日亥時量始雨，或霪或灑, 二十七日卯時至所得爲二鋤餘"*是如爲乎旀*。臣營測雨器水深, 爲一寸二分*是白乎等以*, 緣由馳啓*爲白臥乎事*。

二十八日。

自營離發, 中火于始興, 夕抵筆谷。

〔**狀啓**〕

臣有廟堂稟議事, 當日發行上京, 緣由馳啟*爲白臥乎事*。

병신년丙申年 1836년, 헌종憲宗 2년 6월

六月初一日。

華寧殿、顯隆園奉審無頉事, 封啓。

〔狀啓〕

卽接華寧殿兼令李敏榮牒呈, 則"今月初一日, 焚香後, 仍爲奉審, 則殿內諸處, 無頉"*是如爲白乎旀*, 同時*到付*顯隆園令李象祖牒呈內, "今月初一日, 園上、殿內奉審, 無頉"*是如爲白有等以*, 緣由馳啓*爲白臥乎事*。

同日。

雨澤封啓。

〔狀啓〕

卽接本府判官李敏榮牒呈, 則"去月二十九日酉時量始雨, 或霔灑或止渴, 今月初一日寅時至所得爲二犁餘, 而營下測雨器水深, 爲三寸二分"*是如爲白有等以*, 緣由馳啓*爲白臥乎事*。

初六日。

加資肅拜

同日。

雨澤及農形, 封啓。

〔狀啓〕

今月初一日至, 得雨三寸一分之由, 已爲馳啓*爲白臥在果*, 續接本府判官李敏榮牒呈, 則"伊後油雲未散, 連爲陰曀*是如可*, 初四日未時量, 更爲始雨, 或霔或灑, 初五日卯時至所得又爲鋤餘, 而營下測雨器水深, 爲一寸二分*是乎旀*。境內農形*段*, 早稻付種, 再除草方張, 晚稻乾播, 再除草方始, 移秧初除草方始, 豆太根耕已畢"*是如爲白有等以*, 緣由馳啟*爲白臥乎事*。

初七日。

進實錄廳。

初九日。

進實錄廳。

初十日。

淑善翁主成服後, 問安班進參。

十二日。

本營褒貶等第修呈, 以果川縣監鄭晩敎相避, 不得考績事, 別啓。

〔褒貶等第〕

○ 華寧殿兼衛將金相宇, 恪勤拱衛, 上。

○ 兼令李敏榮, 肅敬以將, 上。

○ 兼守門將洪時榮, 守鑰靡懈, 上。

金遠浩, 勤於供職, 上。

○ 判官李敏榮, 倉察欠斛, 案無滯牘, 上。

○ 檢律卞學秀, 頗解律例, 上。

○ 從事官李敏榮, 恬約成規, 贊佐何有, 上。

○ 中軍金相宇, 言須踏實, 猛必濟寬, 上。

○ 別前司把摠振威縣令吳謹常, 催科心勞, 上。

○ 別左司把摠龍仁縣令李澗, 何適不宜, 上。

○ 別中司把摠金魯學, 供職無闕, 上。

○ 別右司把摠安山郡守金原淳, 曠禮非故, 上。

○ 協守兼把摠始興縣令李鳴遠, 斗邑硎刃, 上。

○ 斥候將迎華道察訪吳致健, 弊驛幾完, 上。

○ 禿城兼把摠金相宇, 分糴稱平, 上。

○ 屯牙兵把摠平薪鎭僉使朴允默, 稅納無愆, 上。

〔別啓〕

臣營屬別五司把摠, 今春下等褒貶啟本中, 別後司把摠果川縣監鄭晩教, 當爲一體磨勘, 而該縣監, 與臣爲舅甥之親*是白乎所*。軍務雖無相避*是白乎*, 乃參考他營已例, 不得循例磨勘*是白乎等以*, 緣由馳啟*爲白臥乎事*。

同日。

進實錄廳。

同日。

雨澤封啟。

〔狀啓〕

卽接本府判官李敏榮牒呈, 則"今月初十日酉時量始雨, 或霏或灑,十一日卯時至所得爲幾二犁餘, 而營下測雨器水深, 爲三寸三分"*是如爲白有等以*, 緣由馳啟*爲白臥乎事*。

十三日。

進實錄廳。

十五日。

望祭班進參。

同日。

華寧殿顯隆園奉審無頉事, 封啓。

〔狀啓〕

卽接華寧殿兼令李敏榮牒呈, 則"今月十五日焚香後, 仍爲奉審, 則殿內諸處無頉"*是如爲白乎旀*。同時到付, 顯隆園令李象祖牒呈內, "今月十五日, 園上、殿內奉審無頉"*是如爲白有等以*, 緣由馳啟*爲白臥乎事*。

十六日。

雨澤及農形, 封啓。

〔狀啓〕

今月十一日卯時至, 得雨三寸三分之由, 已爲馳啟*爲白有在果*, 續接本府判官李敏榮牒呈, 則"伊後連爲陰曀*是如可*, 十三日戌時量, 更爲始雨, 或霏灑或止歇, 十五日卯時至所得又爲一鋤餘, 營下測雨器水深, 爲六分而陰雲霏微, 尙未開霽*是乎旀*。境內農形*段*, 早稻付種, 再除草已畢, 晩稻乾播, 再除草方張, 移秧初除草方張, 豆太根耕立苗”*是如爲白有等以*, 緣由馳啟*爲白臥乎事*。

十八日。

孝成殿親行酌獻禮時, 從陞, 晝茶禮時, 從陞。

十九日。

雨澤封啓。

〔**狀啓**〕

今月十五日卯時至, 得雨六分之由, 已爲馳啟*爲白有在果*, 續接本府判官李敏榮牒呈, 則“伊後載陰載陽, 或霏或灑, 十八日未時至所得又爲二犁, 而營下測雨器水深, 爲二寸分二分”*是如爲白有等以*, 緣由馳啟*爲白臥乎事*。

二十日。

賓對懸病。

二十四日。

中軍金相宇褒貶等第, 以居中施行事, 自兵曹草記。

〔**草記**〕

卽見水原留守徐有榘褒貶啟本, 則“本營中軍金相宇, 以‘言須踏實, 猛必濟寬’爲目, 當置諸‘中考’, 而置之‘上考’, 殊無嚴明殿最之意, 中軍金相宇, 以‘居中’施行, 該守臣, 推考警責何如, 傳曰：‘允’”。

二十六日。

雨澤農形, 封啓。

〔狀啓〕

卽接本府判官兼任迎華道察訪吳致健牒呈, 則"今月二十日卯時量始雨, 或霏灑或開霽, 二十五日卯時至所得爲二鋤, 而營下測雨器水深, 爲一寸一分*是乎旀*。境內農形*段*, 早稻三除草方始, 晩稻乾播, 再除草已畢, 移秧初除草已畢, 根耕豆太, 鋤役方始"*是如爲白有等以*, 緣由馳啟*爲白臥乎事*。

二十八日。

進實錄廳。

병신년丙申年 1836년, 헌종憲宗 2년 7월

七月初一日。

孝成殿朔祭班進參, 晝茶禮時, 從陞, 仍進實錄廳。

同日。

華寧殿、顯隆園奉審無頉, 封啓。

〔狀啓〕

卽接華寧殿兼令兼任判官迎華道察訪吳致健牒呈, 則"今月初一日焚香後, 仍爲奉審, 則殿內諸處無頉"*是如爲白乎旀*。同時*到付*顯隆園參奉趙秉緯牒呈內, "今月初一日, 園上、殿內奉審無頉"*是如爲白有等以*, 緣由馳啟*爲白臥乎事*。

初二日。

孝成殿秋享祭班進參, 朝進實錄廳。

同日。

本營秋操設行計料事, 封啓。

〔狀啓〕

臣營馬步軍兵, 今秋習操, 依定式擇日設行計料*爲白乎旀*。本城及禿城山城操, 亦爲一體爲之*爲白乺喩*, 幷令廟堂稟旨分付*爲白只爲*。

初三日。

進實錄廳。

同日。

中軍赴任事, 封啓。

〔狀啓〕

臣營"中軍朴著會, 去月二十五日, 政本職除授, 今月初二日辭朝, 當日赴任"*是如*牒呈*爲白有等以*, 緣由馳啟*爲白臥乎事*。

初七日。

農形封啓。

〔狀啓〕

卽接本府判官兼任迎華道察訪吳致健牒呈, 則"境內農形, 早稻發穗, 晩稻乾播, 三除方始, 移秧再除草方始, 根耕豆太鋤役方始"*是如爲白有等以*, 緣由馳啟*爲白臥乎事*。

十一日。

孝和殿秋展謁時, 從陞, 仍進實錄廳。

十二日。

雨澤封啓。

〔狀啓〕

卽接本府判官兼任迎華道察訪吳致健牒呈, 則"今月初十日酉時量始雨, 或霏或灑, 十一日寅時至所得僅爲浥塵, 而營下測雨器水深, 爲四分"*是如爲白有等以*, 緣由馳啟*爲白臥乎事*。

同日。

濟州貢馬中, 十四執留事, 封啓。

〔狀啓〕

臣營別驍士所受馬, 限滿致斃者, 依司僕寺回啓定式, 今番濟州牧歲貢馬中, 執留十四*是白遣*, 同馬匹數爻及馬毛色, 成冊修送于該寺*爲白乎旀*, 緣由馳啓*爲白臥乎事*。

十五日。

望祭班進參, 晝茶禮時從陞, 宙合樓奉審進參。

同日。

華寧殿、顯隆園奉審無頉事, 封啓。

〔狀啓〕

卽接華寧殿兼衛將朴著會牒呈, 則"今月十五日焚香後, 仍爲奉審, 則殿內諸處無頉"*是如爲白乎旀*。同時到付顯隆園參奉趙秉緯牒呈內, "今月十五日, 園上、殿內奉審無頉"*是如爲白有等以*, 緣由馳啓*爲白臥乎事*。

十七日。

農形封啓。

〔狀啓〕

卽接本府判官李敏榮牒呈, 則"境內農形, 早稻間間向黃, 晩稻乾播三除草已畢, 移秧再除草已畢, 根耕豆太鋤役已畢"*是如爲白有等以*, 緣由馳啓*爲白臥乎事*。

十八日。

大殿誕辰日, 問安班, 進參。

二十日。

賓對懸病。

二十一日。

進實錄廳。

二十二日。

勸講入侍後, 仍進實錄廳。

二十五日。

進實錄廳。

二十六日。

進實錄廳。

二十七日。

勸講入侍。

同日。

農形封啓。

〔狀啓〕

即接本府判官李敏榮牒呈, 則"境內農形, 早稻間間刈取, 晩稻間間發穗, 移秧胚胎, 根耕豆太起花, 而東風跨朔, 仍又旱曝, 早移之有水根處, 雖未乾涸*是乎乃*, 原野高燥之地, 則田畓各穀, 間多萎枯*是乎遣*。至於水下、沿海各面*段*, 俱是乾播奉天之地, 而久旱暘曝, 鹹氣上透, 根焦莖枯, 難期食實"*是如爲白有臥乎所*。言念民事, 誠爲悶然, 際此一霈, 方切顒祝, 緣由馳啟*爲白臥乎事*。

同日。

還餉分留事, 封啓。

〔啓本〕

本府還餉各穀, 及已未移劃南漢餉租, 分留成冊, 御覽件, 幷以修正三件, 上送于備邊司*爲白乎旀*, 緣由馳啟*爲白臥乎事*。

二十九日。

雨澤封啓。

〔狀啓〕

即接本府判官李敏榮牒呈, 則"今月二十八日申時量始雨, 或霏或灑, 同日酉時至所得僅爲浥塵, 而營下測雨器水深爲五分"*是如爲白有臥乎所*。旱餘甘澍, 瀸潤無幾, 言念穡事, 轉益悶然, 緣由馳啓*爲白臥乎事*。

병신년丙申年 1836년, 헌종憲宗 2년 8월

八月初一日。

辰刻離發, 中火于果川, 申刻抵營, 封啓。

〔狀啓〕

臣有廟堂稟議事, 上京*爲白有如可*, 當日還營, 緣由馳啟*爲白臥乎事*。

同日。

華寧殿、顯隆園奉審無頉, 封啓。

〔狀啓〕

卽接華寧殿兼令李敏榮牒呈, 則"今月初一日焚香後, 仍爲奉審, 則殿內諸處無頉"*是如爲白乎旀*。同日到付顯隆園令李象祖牒呈內, "今月初一日, 園上、殿內奉審無頉"*是如爲白有等以*, 緣由馳啟*爲白臥乎事*。

初二日。

題本府殺獄查案。

【本府朴乭伊, 與龍仁民高驗尙同行, 至半亭川, 爲高驗尙踢擠溺死。】

〔題〕

查案*捧上是在果*。

以醉擠醉, 以醉踢醉, 雖在平地*良置*, 易致殺傷*是去等*, *況旀*漲水急湍之中, 是豈擠人踢人之乎? 原其情, 則雖不謂"以殺心行殺事"*是乃*, 執其跡, 則驅而納諸, 必死而後已, 此不成獄, 法安所施, 凡所謂被告者, 卽指被人發告, 情跡俱疑之類耳。一擠一踢, 渠旣自服*是隱則*, 今此被告之目, 太不襯當。同高驗尙, 以元犯施行, 爲先箇箇考察,嚴刑日次，取招*爲旀*，屍體既不檢驗，實因雖難的定*是乃*，背上黃痕之爲手擠之驗，左脇紅暈之爲足踢之痕。

兩隻之供，若合符契訖不喻，縱無擠踢之痕，的是推溺而死，則致死根因之爲被推溺水，豈更有疑眩之端，實因*段*，"被溺致死"，厘正懸錄*爲旀*。

行而作伴，閔完實也，醉而共酗，閔完實也。水中執髻，渠雖發明，用錢私和，豈非贓案？同閔完實，以干犯懸錄，嚴刑日次，取招牒報*爲旀*，夫死之謂，何而受人慫慂，貪賄忘讎？彼雖無識女人，那免"鬻屍之律"，而屍親也，決杖三十度放送，高太尙之挽還發告，亦不可無罪，決杖三十度，一體懲勵放送*爲旀*。

閔載天之瞞人告官，設計巧慝當者，雖已在逃，而指使者，完實也，以此添問目究覈*爲旀*，餘外諸囚，今無更問之端，當此農節，不可滯囚，到題卽時，一倂放送*爲乎矣*。判官，今旣還營，兼官，仍定會查官*爲去乎*，約日會坐，擧行*爲旀*。文案中，多有訛誤之字，亦不無違越格例處，擧行刑吏，附過*向事*。

初四日。

出往安寧、章州等面，看察農形。

初五日。

華寧殿日次奉審。

初七日。

農形封啓。

〔狀啓〕

卽接本府判官李敏榮牒呈，則"境內農形，早稻已盡刈取，晩稻乾播，移秧有水根處，間或發穗，而惱風惱旱，或白澁萎枯，或含縮不發，根耕豆太，間或結莢，而顆粒尠少"*是如爲白有臥乎所*。始痒於東風，終損於秋旱，節候漸晩，實穎無幾，至於濱海各面，昨年海溢處*段*，鹹氣上透，根莖俱萎，言念穡事，極爲悶然，緣由馳啓*爲白臥乎事*。

初十日。

華寧殿日次奉審。

十三日。

成給兩南耗作錢差人節目。

〔節目〕

爲惕念遵行事。

本營之凋弊已甚，殆至莫可收拾之境者，苟求其由，蔽一言曰，各道穀作錢推納之，每每愆期故耳。蓋自此穀設始之初，每年委送，差人作錢以來，而付之將吏廳，自各其廳擇送。差人當年所推於各道者，翌年六月內，準數納上于本營，行之多年，毋敢違越*是加尼*。輓近以來，京外浮浪之類，罔念公貨之莫重，闖生肥己之奸計，圖得差人名色。或看作己物，全數乾沒，或牟利興販，遷就不納，或假借他名，百計圖囑，或受出關文，轉相賣買，甚至往往有逃躱不現，指徵無處者，紀綱掃如，且置勿論，此錢，一年捧上之數，卽本營一年支放之需*是去乙*，還錢則徒擁虛簿，支放則攢那公庫，一年二年，無復紀極，畢竟各庫遺在，漸次蕩盡。而年例支放，策應無術，則其勢，自然侵支於帑庫、封椿錢, 見今封椿, 十空八九然, 則差人輩所爲, 不但乾沒尋常公貨而已。

其實, 則與偸竊御用庫錢貨無異, 御庫偸竊, 厥罪云何? 如不及今大事更張, 則將至無營而後已, 而所謂“更張”, 亦無他策, 唯有曰“申明舊規”而已。今年爲始, 各道作錢一款, 永付將吏廳, 執事中二人, 書吏中二人, 以勤實可堪者, 自該廳, 公議擇差, 諸校諸吏, 列名懸保後, 授以關文, 分送各道, 使之歲前推出, 翌年六月內, 準納戶房所, 七月初一日, 以戶所尺文, 考還*爲乎矣*。或以不實者差送, 以致過限愆納之弊*是去乃*, 或略干塞責, 無難欠縮*是去等*, 當者爲先除汰, 永勿復屬, 竝與同事之人, 嚴刑遠配, 未捧之數, 一併徵捧於該廳。一以杜浮浪輩圖差乾沒之弊, 一以爲營樣復舊之階*爲旀*, 若有已試可堪, 不違期限之人, 則不必以疊送爲拘, 雖逐年定送*是良置*, 亦無不可*是遣*, 苟其家勢貧寒, 宿債許多之人, 則雖十年不差*是良置*, 渠當無言*是如乎*。以此意成出節目, 繕寫二件, 分置將吏廳, 常目凜遵, 毋或撓改*爲旀*, 如或有自營府分付特差之事*是去等*, 諸校諸吏, 持此節目, 齊進稟防, 宜當*向事*。

十四日。

以顯隆園秋夕祭享, 獻官陪香祝, 詣園所。

十五日。

祭享設行後, 仍爲封啓。

〔啓本〕

謹啓爲祭享事。

今月十五日, 行顯隆園秋夕祭享, 臣以獻官進參設行後, 園上奉審, 雜草、雜木無乎*是白遣*, 四山之內, 亦無樹木犯斫之弊*是白乎旀*。祭官職姓名, 開錄于後, 緣由馳啟*爲白臥乎事*。

同日。

陵、園所秋大奉審後, 封啓。

〔啓本〕

謹啓爲奉審事。

臣於本月十五日, 健陵陵上、丁字閣、碑閣以下諸處, 顯隆園園上、丁字閣、碑閣以下諸處奉審後, 健陵祭享時, 所用雜物、破傷者, 開錄于後*爲白去乎*, 令該曹卽速修改*爲白乎旀*。

顯隆園無頉處*是白遣*, 樹木*段*, 火巢闊遠, 不能一一摘奸, 而這這巡審, 俾無犯斫之弊事, 另加申飭於陵園官處*爲白乎旀*。萬年堤垌內, 一體看審, 則俱爲無頉*是白遣*, 鷺峰浮石所, 發遣偏裨摘奸, 則封標內, 亦無頉處*是白乎等以*, 緣由幷以馳啟*爲白臥乎事*。

同日。

華寧殿秋大奉審後, 封啓。

〔狀啓〕

華寧殿秋孟朔大奉審元定*是白在*, 去月十五日, 當爲擧行, 而臣在京未還, 不得擧行*是白遣*。今月十五日, 焚香後, 與兼令臣李敏榮、兼衛將臣朴蓍會, 眼同奉審*是白乎*, 則殿內諸處, 俱爲無頉*是白乎等以*, 緣由馳啟*爲白臥乎事*。

十七日。

農形封啓。

〔狀啓〕

卽接本府判官李敏榮牒呈, 則"境內農形, 晩稻乾播, 移秧已盡發穗, 根耕豆太, 已盡結顆, 而入秋以後, 一直暵酷, 田畓各穀之受損者, 竟無蘇醒之望"*是如爲白有臥乎所*, 東風才歇, 晩暵繼酷, 田畓各穀, 白澁萎枯者, 居多實顆尠少, 言念民事, 轉益悶然, 緣由馳啟*爲白臥乎事*。

十八日。

自營離發, 中火于始興, 夕抵筆谷, 封啓。

〔狀啓〕

臣有廟堂稟議事, 當日發行上京, 緣由馳啟爲白臥乎事。

二十二日。

鼎足山城史閣實錄奉來時, 挾輦軍二十名調發事, 有旨標信祗受後, 封啓。

〔狀啓〕

本月二十二日, 右副承旨徐戴淳成帖有旨內, "今次江華府鼎足山城史閣實錄奉來時, 挾輦軍二十名、江華府軍兵, 渡甲串津, 挾輦軍二十名、京畿軍兵, 前期一日, 各其境上待候*爲白有如可*, 次次替代, 到城外解送。而各其境上落後時, 依例除標信擧行之意, 宣傳官持標信、兵符下去, 卿其祗受後, 依此擧行事。" 有旨一度, 與一天字標信、發兵符左一隻, 當日巳時量, 宣傳官鄭益東, 賫來*爲白有*等*以*,

臣在京祗受合驗後, 發兵符左一隻, 宣傳官鄭益東處, 還爲祗付上送, 緣由馳啟*爲白臥乎事*。

同日。

挾輦軍待候境上事, 因兵曹關翻謄, 傳令于始興縣令。

〔傳令〕

爲知委擧行事。

*節到付*兵曹關內, "*節*啓下*敎*曹啓目, '今此江華府鼎足山城史閣, 奉安《正宗大王實錄》奉來時, 挾輦軍二十名, 前射隊二哨, 後射隊一哨, 江華府軍兵渡甲串津, 挾輦軍二十名, 前後射隊二哨, 京畿軍兵, 前期一日, 各其境上待候*爲白有如可*, 次次替代。而晝停所、宿所, 則前後射隊軍兵, 相連扈衛*爲白乎旀*, 到城外解送, 而各其境上落後時, 依例除標信擧行之意, 宣傳官持標信、兵符, 下諭于京畿監司、摠戎使、水原留守、江華留守處事, 令政院稟旨擧行, 何如?' 道光十六年八月二十一日, 同副承旨臣趙在慶次知, 啓依允*爲旀*, 前後射隊幷置之事, 判下*敎是置*, 敎旨內辭意, 奉審施行*爲有矣*, 只挾輦軍二十名, 各其境上待候擧行"*亦爲有臥乎所*。

奉來日字, 雖不塡書於關辭中, 而要在今月二十七八日間*是如乎*。挾輦軍二十名, 必以健壯者, 預先知委, 各別擇差, 軍裝服色, 亦爲務從鮮明, 而奉來日字, 次次探問于前站邑後, 先爲等待于本縣初境*是如可*, 到卽陪從, 至崇禮門外解送之地*爲乎矣*。本營執事一人, 明再明間, 當持令箭下去, 一從指揮擧行, 宜當*向事*。

二十三日。

勸講入侍後, 仍進實錄廳。

二十五日。

霜降封啓。

〔狀啓〕

卽接本府判官李敏榮牒呈, 則"今月二十四日曉, 霜降"*是如爲白臥乎所*。

晩嘆旣酷, 嚴霜徑下, 晩移乾播之白澁萎枯者, 竟無蘇醒食實之望,

言念民事, 轉益悶然, 緣由馳啓*爲白臥乎事*。

二十七日。

進實錄廳。

二十八日。

進實錄廳。

병신년丙申年 1836년, 헌종憲宗 2년 9월

九月初一日。

朔祭親行時, 從陞。

初二日。

華寧殿、顯隆園奉審事, 封啓。

〔狀啓〕

卽接華寧殿兼令李敏榮牒呈, 則"今月初一日, 焚香後, 仍爲奉審, 則殿內諸處"*是如爲白乎旀*。同時到付, 顯隆園令李象祖牒呈內, "今月初一日, 園上、殿內奉審"*是如爲白有等以*, 緣由馳啟*爲白臥乎事*。

初三日。

進實錄廳。

同日。

鼎足山城史閣實錄廳奉來時, 挾輦軍以始興縣束伍軍調發扈衛, 至崇禮門外, 除標信解送後, 封啓。

〔狀啓〕

江華府鼎足山城史閣實錄奉來時, 依兵曹啓下關, 挾輦軍二十名, 以臣營所屬始興縣束伍軍調發, 侍候于該縣境上*是白如可*, 今月初三日, 扈衛至崇禮門外信地, 除標信解送*是白乎等以*, 緣由馳啟*爲白臥乎事*。

初四日。

進實錄廳。

初五日。

進實錄廳。

初六日。

勸講入侍後, 仍進實錄廳。

初七日。

進實錄廳。

初八日。

勸講入侍後, 仍進實錄廳。

初九日。

晝茶禮親行時, 從陞。

同日。

本府耗不足給, 代穀依例劃下事, 報備局。

〔**報牒**〕

爲相考事。

本府句管各道穀, 今年耗不足條一千二百二十五石四升七合五里, 各庫蕩債給代米六百石, 幷以修成冊牒報*爲去乎*。參商敎是後, 依例劃下, 以爲及時需用之地*爲只爲*。

初十日。

本生先考恩諡受點在於乙丑, 而未幾屛處鄕外, 尙遲延侑。今得便近之地, 將卄五日, 祗受於華營任所。故委送有來, 陪奉祠宇, 是日入洛, 與監役出往慕華館, 晡時陪還, 權奉于筆谷舍廊。

十一日。

以營樣之凋弊無餘, 尙未奉慈闈, 而余每因事赴營, 旋卽歸侍矣。是日陪奉祠宇, 仍奉慈闈, 而從子婦, 亦隨行矣。午抵果川中火, 甥姪鄭晚教, 以該倅迎拜祠宇, 事非偶爾也, 仍爲離發, 迫曛抵營, 封啓

〔狀啓〕

臣有廟堂稟議事, 上京*爲白有如可*, 當日還營, 緣由馳啟*爲白臥乎事*。

十五日。

華寧殿焚香奉審後, 封啓。

〔狀啓〕

臣於今日, 華寧展焚香後, 仍爲奉審, 則殿內諸處無頉*是白乎旀*, 卽接顯隆園令李象祖牒呈, 則"今日, 園上、殿內奉審無頉"*是如爲白有等以*, 馳啟*爲白臥乎事*。

同日。

月食救食後, 封啓。

〔狀啓〕

*前矣到付*禮曹關據, 本月十五日乙未夜望, 月有食之。臣與本府判官李敏榮, 眼同救食後, 食體圖形後錄, 馳啟*爲白臥乎事*。【丙申九月十五日乙未夜望, 月食分一分十二秒, 初虧亥初一刻五分, 初虧東北。食甚亥正初刻一分, 食甚正北復圓, 亥正二刻十二分, 復圓西北】。

二十日。

華寧殿日次奉審。

同日。

閣臣金臺正喜, 以華寧殿誕辰祭享奉審之行, 下來。

二十一日。

陪香祝詣齋室, 是日奉命閣臣陵、園所奉審後, 入府, 夜話于齋室, 翌日旋發。

二十二日。

華寧殿祭享設行後, 封啓。

〔狀啓〕

謹啟爲祭享事。

今月二十二日, 行華寧殿誕辰祭享, 臣以獻官進參設行後, 祭官職姓名, 開錄于後, 緣由馳啟*爲白臥乎*事。

二十四日。

宣諡官下來。

二十五日。

華寧殿日次奉審。

同日。

延諡處所, 行宮之內, 有所未妥, 行禮于整理所【在維與宅中門外】。禮畢後, 還奉祠宇, 會坐于維與宅, 次第傳禮幣于宣諡官, 及各差備官【宣諡官趙民植, 擧函官迎華察訪吳致健、慶安察訪卓□□, 贊者本府判官李敏榮, 謁者始興縣令李鳴遠, 都預差果川縣監鄭晩教】。

後詣祠堂改題主是日, 卽先考晬辰也, 愴慕罙切, 以殷奠行茶禮【監役及三從弟有喬、有翔, 內從弟宋持養, 甥侄鄭晩教, 庶族叔珌修, 幷參】。

二十七日。

年分狀啟, 封發。

〔狀啓〕

本府穡事形止, 備陳於前後狀聞中*是白在果*, 本府地形, 西南則濱海而斥鹵居多, 東北則依山而灌漑甚尠, 一有旱澇, 災眚偏甚。雖値占豐之歲, 尙多失稔之處*是白在如中*, 今年*段*, 俶載之初, 春雨頻仍注秧播種, 雖不愆期, 而乃於秧苗抽茁之除, 雨澤稍悶, 間或有霏微之澤, 終未免惜乾之患*是白如可*。始於五月旬間, 幸得大霈, 時則夏至已過, 趨澤之急, 晷刻是爭。故甘飭判官, 罔夜董督, 使之助糧借牛, 毋論高低, 次第移揷, 大有之望, 庶幾執契*是白加尼*。夫何一雨成霖, 晴曝恒少, 如干早移者, 昻藏不茁, 減却幾分, 至若晩移, 則被災尤酷, 難期蘇醒。而況自六月念後, 三朔亢旱, 東風連吹, 已發穗者, 顆粒全疎, 白颯居半, 未發穗者, 貼地蕭索, 仍而含縮, 實穎無幾 在在皆然*是白遣*。至於沿海各面, 昨夏海溢之處, 則烈暘所曝, 鹹氣遍透, 全棄之坪, 間多有之。始擬登熟者, 僅得免歉, 晩翼食實者, 徒存空穀, 或登場而種稅不足; 或在野而刈穫不到, 畢竟成就, 大違始料*是白乎旀*, 田種各穀*段*, 初因潦水, 而鋤役失時, 終以暵乾, 而枯損過半, 結莢[4]零星, 入實尠少。統以論之, 田畓均荒優劣莫分*是白乎旀*。

檢田一事, 關係甚重, 毫忽之差, 濫約皆罪, 如今之年, 尤當十分難愼, 故逐庫爬櫛, 按簿查減*是白乎*, 則舊初不爲四百二十結六束, 晩移爲五百六結二十四負五束, 風損爲二百八十七結六十負八束, 合災爲一千二百十三結八十五負九束, 較諸地部劃下三十結, 不足爲一千一百八十三結八十五負九束*是白如乎*。今若徒懷嚴畏, 不以實陳, 致使災民, 或有白徵之寃, 則孤負我聖上如傷若保之盛德至意*乙仍于*, 玆敢不避猥屑遽實陳聞*爲白去乎*, 上項不足災一千一百八十三結八十五負九束, 特許加劃敎*是白乎*, 則臣謹當塗抹分俵*是白乎旀*。

仍伏念還餉法意, 非惟嚴重, 嗣歲農糧, 大係民政, 今年當捧條各穀二萬二千八百八石二斗七升六合二夕四里*段*, 期於準捧。而至於海溢各面, 昨年停退條*段*, 凡在糴簿, 太半流亡, 今欲一一追督, 勢將徵隣徵族, 以今年形民勢, 爲此新舊幷督之擧, 竊恐有民穀俱失之慮*是白如乎*。同停退各穀六千九百七十七石*段*, 限明年許令仍停, 以爲

4 莢: 저본에는 筴. 문맥을 고려해 莢으로 바로 잡았다.

少紓民力之地*爲白乎旀*, 推奴徵債, 亦係擾民之端, 一切防塞, 恐合便宜, 幷令廟堂稟旨分付*爲白只爲*。

同日。

耗不足, 給代穀劃下事, 因防題更爲論報備局。

〔籌題〕

【此或有自本府, 漸次經理, 某樣彌縫之道, 故再昨年, 以自明年, *毋*煩更請之意, 有所題送。而昨年所劃, 雖出於事勢之不獲已, 到今經費既多, 穀簿大縮, 實無逐年排劃之道*是如乎*。須悉此意, 依前題方便拮据, 以爲京外支繼之策*向事*】。

〔報牒〕

爲相考事。

本府句管各道穀, 今年不足耗, 給代米依例劃下牒報狀書目題辭內, “此或有自本府, 漸次經理, 某樣彌縫之道, 故再昨年, 以自明年, *毋*煩更請之意, 有所題送。而昨年所劃, 雖出於事勢之不獲已, 到今經費既多, 穀簿大縮, 實無逐年排劃之道*是如乎*。須悉此意, 依前題方便拮据, 以爲京外支繼之策”*亦教是乎所*。

蓋此穀設始, 粤在戊午, 本府還耗除減之初, 爲將吏、軍卒支放之需*是乎加尼*, 及夫己巳、甲戌之間, 屢經停蕩, 元穀減縮, 而支放不給, 則勢不得不報司, 追劃者, 初非原劃外加數請劃者也。于今三十餘年, 便成歲課, 不易之典, 未之或*闕是乎所*。

挽近諸道穀簿, 勢漸耗縮, 一切給代, 漸到竿頭, 此箇事狀, 豈或全昧? 而今年請劃冒昧修報者, 誠以有營則有校卒, 有校卒則有支放,而一年劃來之數，董支一年放下之需，無剩無縮，加減不得。除非一番大更張改絃易轍之前，雖欲自本府，方便拮据，其勢末由故耳。再昨年請劃報牒回題，以年年給代之請，深軫難繼，胥溺之慮，至以查祛，兄費從他牽補，自明年，毋煩更請爲敎。凡在保釐分憂之地，寧昧中、外相須之義？而昨年本府，不得不冒昧請劃，司*敎是*不得不依例準劃，卽此一款，本府事勢之萬難措處，庶蒙俯燭*是如乎*。*況旀*今年，經用之窘跲，較昨年，不啻倍蓰，荐歉之餘，公私俱竭，各庫錢穀，在在枵罄，東西攎那，塗抹不得*是在如中*。捨却每年劃來之穀，別辦半萬餘金之貨，萬萬是行不得推不去之政*是乎置*。苟有一分措處之道，豈敢一報再報，不憚支煩乎？悶隘之極，輒復據實牒報*爲去乎*，司敎是參量事勢，同不足耗給代穀合一千八百二十五石零，依前劃下，以爲及時推用之地*爲只爲*。

二十九日。

健陵、顯隆園局內，年例植木事，封啓。

〔狀啓〕

卽接健陵令金性求、顯隆園令李象祖牒呈，則“局內植木處，年例補植之役，自今月二十六日爲始，二十七日至畢役”*是如爲白有等以*。補植境界及植木株數，後錄馳啟*爲白臥乎事*。

병신년丙申年 1836년, 헌종憲宗 2년 10월

十月初一日。

昧爽, 行望闕禮, 迎華察訪進參。

〔狀啓〕

臣於今日, 華寧殿焚香後, 仍爲奉審, 則殿內諸處無頉*是白乎旀*, 卽接顯隆園令李象祖牒呈, 則"園上、殿內奉審無頉"*是如爲白有等以*, 緣由馳啟*爲白臥乎事*。

初二日。

乙、丙兩年四等都試, 以初三日擇定, 合設事, 封啓。

〔狀啓〕

臣營別驍士及列校, 昨年春夏等、今年春秋等合四等都試, 以今月初三日擇定設行計料, 緣由馳啟*爲白臥乎事*。

初三日。

早朝, 詣東將臺都試設場, 中軍迎華察訪參座。

初四日。

因雨勢之半日霏霏, 不得設場。

初五日。

華寧殿日次奉審後, 設場。

初六日。

設場。

初七日。

設場。

初八日。

設場。

初九日。

設場。

初十日。

華寧殿日次奉審後, 是日告訖。

十一日。

都試設行, 狀啓封發。

〔狀啓〕

臣營別驍士及列校, 昨今兩年四等都試, 以今初三日, 爲始設行之由, 已爲馳啓*爲白有在果*, 臣於當日, 設場取才, 而從事官李敏榮, 適有身病, 不得參試, 故左列將朴宗林, 差出參試, 與中軍朴蓍會, 眼同擧行。初十日至, 連爲試取後, 別驍士居首人、沒技人、列校居首人姓名、年、父、住、矢數, 後錄馳啓*爲白去乎*, 直赴殿試事, 令該曹稟處*爲白乎旀*。

乙未春等, 居二右列別驍士閑良鄭孝源, 居三左列別驍士閑良鄭煥榮, 列校居二守堞軍官閑良林光祿, 居三別武士閑良金祥浩。

乙未秋等, 居二左列別驍士閑良卞文圭, 居三左列別驍士閑良洪聖文, 列校居二守堞軍官閑良宋鉉圭, 居三旗牌官閑良張翼斗。

丙申春等, 居二右列別驍士閑良李東珪, 居三左列別驍士閑良卞文圭, 列校居二守堞軍官閑良李世煥, 居三旗牌官閑良朴在觀。

丙申秋等, 居二右列別驍士閑良金順榮, 居三左列別驍士閑良李命夏, 列校居二守堞軍官閑良鄭時浩, 居三討捕軍官閑良龍永在。竝自臣營, 依例施賞, 緣由馳啟*爲白臥乎事*。

【乙未春等, 左列別驍士閑良李命夏, 年二十, 父春寬, 住南部, 鐵箭一矢一百十一步, 二矢一百二十步, 三矢一百十步, 柳葉箭貫二中、邊一中, 片箭邊一中, 騎蒭一中, 鞭蒭二中, 合十矢二分。列校守堞軍貫閑良金基錫, 年三十一, 父洛天, 住南部, 鐵箭一矢一百十步, 二矢一百六步, 三矢一百十二步, 柳葉箭邊二中, 騎蒭三中, 鞭蒭二中, 鳥銃邊一中, 合十一矢。

秋等, 右列別驍士閑良金守哲, 年二十五, 父得信, 住晴湖面, 鐵箭一矢一百六步, 二矢一百四步, 三矢一百五步, 柳葉箭貫二中、邊二中, 鞭蒭一中, 鳥銃貫一中, 邊一中, 合十矢三分。列校別武士閑良金祥浩, 年二十六, 父前虞候廷煥, 住北部, 鐵箭一矢一百十二步, 二矢一百十一步, 三矢一百十一步, 柳葉箭邊三中, 騎蒭一中, 鞭蒭二中, 鳥銃一中, 合十矢。

丙申春等, 右列別驍士閑良金東秀, 年三十三, 父仁德, 住振威, 鐵箭一矢一百十一步, 二矢一百十步, 三矢一百十八步, 柳葉箭貫二中、邊一中, 片箭貫一中, 騎蒭二中, 鞭蒭二中, 鳥銃邊一中, 合十二矢三分。列校旗牌官閑良張翼斗, 年十八, 父出身啓福, 住南部, 鐵箭一矢一百十二步, 二矢一百八步, 三矢一百十四步, 柳葉箭貫二中、邊一中, 騎蒭一中, 鞭蒭二中, 鳥銃邊一中, 合十矢二分。

秋等, 左列別驍士閑良卞文圭, 年三十一, 父光瑋, 住北部, 鐵箭一矢一百二十八步, 二矢一百十六步, 三矢一百二十五步, 柳葉箭邊二中, 片箭貫一中、邊一中, 騎蒭一中, 鞭蒭二中, 鳥銃貫一中, 合十一矢二分。列校別武士閑良金聲達, 年二十八, 父濟元, 住南部, 鐵箭一矢一百六步, 二矢一百六步, 三矢一百十步, 柳葉箭貫一中、邊三中, 片箭邊一中, 騎蒭一中, 鞭蒭二中, 合十一矢一分。左列別驍士閑良尹志煥, 年二十五, 父龍祿, 住南部, 片箭貫一中、邊二中】。

十五日。

昧爽, 行望闕禮, 中軍進參。

同日。

華寧殿冬大奉審後, 封啓。

〔狀啓〕

臣於今日, 華寧殿焚香後, 冬孟朔大奉審仍爲擧行, 而兼令臣李敏榮, 在京未還, 故以迎華察訪吳致健權差, 兼令與兼衛將臣朴蓍會眼同奉審*是白乎*, 則殿內諸處, 俱爲無頉*是白乎旀*。卽接顯隆園參奉趙秉緯牒呈, "今日, 園上、殿內奉審無頉"*是如爲白有等以*, 緣由馳啟*爲白臥乎事*。

二十日。

華寧殿日次奉審也, 余偶患泄痢, 不得進參。

二十五日。

華寧殿日次奉審。

同日。

官、鎭門聚點設行事, 封啓。

〔狀啓〕

*前矣到付*備邊司關內, "*節*啓下*教*司啓辭, '各道道、帥臣秋操稟啓, 今已齊到矣。詰戎重務之全然抛却, 已至數十年所, 其安不忘危之意, 誠爲萬萬疎忽。及今擧行, 有不容已, 而苐念桑土備豫之道, 亦須以愛養民力爲本。見今東北, 皆經歉荒, 兩西又疲供億, 圻甸、三南, 雖有登熟之望, 而風潦間亦爲災, 秋事尙在未判, 此時農畝之民, 遽責徵調之役, 實非所以懷保寬恤之義。今秋八道三都, 水陸諸操、巡歷巡點, 竝姑停免, 至於官鎭門聚點, 雖與正操有異, 若能着意講行, 亦當有裨於鍊戎肄武之節, 另加申飭, 俾*毋*敢視以文具, 有堤堰處, 移點完役, 亦依近例爲之, 各樣都試, 覆審考講, 及停退都試, 竝爲設行之意, 分付, 何如?', 答曰 : '允事'傳敎*敎是置*, 傳敎內辭意, 奉審施行"*亦爲白有等以*。

臣營馬步軍兵, 今二十四日, 依例聚點, 俱無闕額是白遣, 所屬五邑軍兵, 亦爲依關辭擧行之意, 傳令知委*是白加尼*。卽接龍仁縣令金芸淳、果川縣監鄭晩敎所報, 則本縣軍兵, 依例聚點, 而別無闕伍*是如爲白遣*, 安山郡守金原淳、始興縣令李鳴遠、振威縣令南興中所報,則"本縣軍兵, 移點於堤堰疏鑿之役"*是如爲白有等以*, 緣由馳啟*爲白臥乎事*。

同日。

耗不足給, 代穀依前報劃下事, 因備局回關文移嶺營。

【〔備局回關〕

爲相考事。

"*節*啓下*教*司啓辭, '水原句管各道穀見縮條, 今年耗米一千二百二十五石零、蕩債給代穀六百石、廣州句管關西·湖西穀見縮條、乙未耗米三百二十石零、松都句管關西穀、今年耗代條二千石, 自各該府報請給代矣。係是年例代劃, 水原則以嶺南加分耗及本司句管各名穀會錄耗中折米劃給, 廣州則以海西所在本司句管各名穀會錄耗中折米劃給, 松都則以湖西所在本司句管各名穀會錄耗中折米劃給, 使之取用, 何如?', 答曰 : '允事'傳敎*教是置*。傳敎內辭意, 奉審施行"*爲有矣*。今年, 則雖不得不代劃, 而自明年, 必須講究其充補之道, 以爲方便支繼之地*向事*】。

〔移文〕

爲相考事。

弊營各道耗見縮條。今年不足耗一千二百二十五石四升七合七里, 蕩債給代穀六百石, 合米一千八百二十五石四升七合七里, 以嶺南加分耗及備局句管各名穀會錄耗中折米劃給事, 自本司覆啓蒙允*乙仍于*, 輸來次委送差人林潞豐*爲去乎*, 到卽依數出給, 以爲及時輸來之地*向事*。

병신년丙申年 1836년, 헌종憲宗 2년 11월

十一月初一日。

昧爽, 行望闕禮, 中軍判官、迎華察訪, 進參。

同日。

華寧殿焚香奉審後, 封啓。

〔狀啓〕

臣於今日, 華寧殿焚香後, 仍爲奉審, 則殿內諸處無頉*是白乎旀*。卽接顯隆園令李象祖牒呈, 則"今日, 園上、殿內奉審無頉"*是如爲白有等以*, 緣由馳啟*爲白臥乎事*。

初五日。

華寧殿日次奉審

初九日。

自營離發, 始興中火, 夕抵筆谷, 封離營啓。

〔狀啓〕

臣以今十三日, 孝成殿大祥哭班進參事, 當日發行上京, 緣由馳啟*爲白臥乎事*。

十一日。

孝成殿朝上食、晝茶禮時, 從陞。

十二日。

孝成殿朝上食、晝茶禮、夕上食時, 從陞。是夜, 大祥班仍爲從陞, 慟廓采新。

十三日。

以顯隆園冬至祭享, 獻官陪奉香祝, 自闕內離發, 始興中火, 侵夜還營, 尹台命奎, 以健陵獻官, 同爲下來。

十四日。

封還營啓。

〔狀啓〕

臣以顯隆園冬至祭享獻官, 陪奉香祝, 當日還營, 緣由馳啟*爲白臥乎事*。

同日。

倍香祝, 詣園所。

十五日。

以獻官進參後, 仍爲封啓。健陵獻官, 同爲入府, 是日還發。

〔啓本〕

謹啓爲祭享事。

今月十五日, 行顯隆園冬至祭享, 臣以獻官進參設行後, 園上奉審, 雜木雜草無*乎是白遣*, 四山之內, 亦無樹木犯斫之弊*是白乎旀*。祭官職姓名開錄于後, 緣由馳啟*爲白臥乎事*。

同日。

昧爽, 行望闕禮, 中軍判官、迎華察訪, 進參。

同日。

華寧殿焚香奉審後, 封啓。

〔狀啓〕

臣於今日, 華寧殿焚香後, 仍爲奉審, 則殿內諸處無頉*是白乎旀*。卽接顯隆園令李民耆牒呈, 則"今日, 園上、殿內奉審無頉"*是如爲白有等以*, 緣由馳啓*爲白臥乎事*。

同日。

以振威縣軍錢愆納事, 首鄕、首吏提上之意, 發關。

〔甘結〕

右甘爲。

本縣上納事, 可謂說亦支離。壬、癸條, 各樣上納未收, 尙爲二千兩之多, 而一直漫漶, 終不收納如許事狀, 振古所無*乙除良*。至以今年上納事言之*良置*, 他邑皆已畢納, 而本縣則近數千上納, 僅以單百些略之數, 日次塞責而止, 前後董飭, 都付空文, 毫不動念者, 尤極駭然。且於月初, 本縣空官之時, 有所令飭於公兄處*是加尼*, 限日已過, 縣令旣還, 而上納與否、吏鄕上使, 都不擧論, 只以還官事, 循例報來者, 寧有如許事體? 首吏鄕到關卽時, 定刑吏着枷上使, 以爲依律嚴處之地, 宜當*向事*。

二十日。

華寧殿日次奉審。

二十三日。

別軍官取才都試, 以二十五日, 設行計料事, 封啓。

〔狀啓〕

臣營別軍官今秋等都試, 以今月二十五日, 擇定設行計料, 緣由馳啟

爲白臥乎事。

二十四日。

以勸講閣臣承內下章服, 內外供恩賜。進講《大學》畢講, 在去月晦間, 至是慈敎識喜, 有此匪頒之錫也。是日閣吏賚來【粉紅雪漢緞一疋, 藍水花方紬三疋】祗受。昔在壬戌先朝, 《尙書》畢講後, 臣以勸講閣臣, 承紬緞之賜矣, 不意老而不死, 再被此恩於今日, 榮耀之極, 感淚交迸。

二十五日。

華寧殿日次奉審。

同日。

都監進排錢五千兩, 輸送戶曹, 仍補備局。

〔報牒〕

爲相考事。

司*敎是*啓下關內, "*節該*。各都監進排次, 華城帑錢五天兩, 移送戶曹

亦爲有臥乎所。外帑庫行用錢，不過千餘兩，而卽是當年各樣應下之需*是乎遣*，至於封不動*段*，帑庫封椿法意嚴重，而六七年來京司輸納，合爲四次，見今記簿遺在，不過萬餘兩"*是如乎*。

帑藏耗縮，已極悚悶，而若就此中，又除出五千金，則存者，僅爲半萬矣。關防重地，不虞之備，豈可若是單薄*是乎喩*？京司需用，亦係緊急，其在內外共濟之義，有不敢昧然防報*乙仍于*，另究從他拮据之方，曾在癸巳年間，帑庫腐傷木二十四同，三十四疋改色次，出給廛人矣。伊後連値綿歉，本色收捧，其勢末由。不得不以代錢捧置者，爲二千四百六十八兩，帑庫陳米二百五十石，從時價作錢者，爲一千兩。果川別置米耗條之，以詳定價推來例也。昨今兩年，耗作錢，爲一千五十三兩，湊合爲四千五百二十一兩，不足四百七十九兩*段*，以貯置庫錢足之，合五千兩，定色吏移文，上送于戶曹爲*乎旀*，緣由牒報*爲百臥乎事*。

二十六日。

別軍官試取設行事，封啓。

〔狀啓〕

臣營別軍官今秋冬等都試，以今二十五日設行之由，已爲馳啓*爲白有在果*，臣於當日，與從事官李敏榮、中軍朴蓍會眼同開場，二十六日至，畢試*是白乎旀*。居首人姓名、年歲、父名、矢數及越薦年條、薦主人職姓名，開錄于左，緣由馳啓*爲白臥乎事*。

【左列別軍官崔顯鼎，年三十一，父慶潤，丙申越部薦，薦主部將金應浩，鐵箭一矢一百十七步，二矢一百十步，三矢一百十步，柳葉箭邊二中，片箭貫一中，邊一中，騎蒭一中，鞭蒭二中，合十矢一分】。

二十八日。

本府年分結摠修成冊, 送于戶曹事, 封啓。

〔啓本〕

謹啓爲相考事。

節到付戶曹年分事目啓下關內, "水原田畓, 以乙未元摠五千八百三十九結內, 給災三十結, 實五千八百九結, 磨勘*亦爲白有矣*。本府會有流來舊陳未入永頉者, 幷與今災而執摠, 則厥數甚*多乙仍于*, 具由仰請。特蒙九百七十結劃下, 與事目所下災三十結, 而參量被災淺深, 平均分俵"*爲白有如乎*。

今年實田畓, 竝新起四千八百六十三結六十九負六束內, 勸闢新起二結三十九負, 依朝令初年減稅, 庚申勸闢中, 十九結四十五負八束, 以還陳減稅, 實摠四千八百四十一結, 八十四負八束, 依備邊司啓下關, 修成冊兩件, 上送戶曹*爲白乎旀*, 緣由馳啓*爲白臥乎事*。

병신년丙申年 1836년, 헌종憲宗 2년 12월

初一日。

開東行望闕禮, 中軍、迎華察訪, 進參。

同日。

華寧殿焚香奉審後, 封啓。

〔狀啓〕

臣於今日, 華寧殿焚香後, 仍爲奉審, 則殿內諸處無頉*是白乎旀*。卽接顯隆園令李民耆牒呈, 則"今日園上、殿內奉審無頉"*是如爲白有等以*, 緣由馳啟*爲白臥乎事*。

初二日。

公都會乙丙兩年條, 合設。參試官, 延曙察訪田齊賢。

是日, 收劵三百九張, 夜出榜目【賦題, "鷄犬識路", 詩題, "使聖人壽富多男子"】。

〔榜目〕

【賦三下

李又新、金星澤、洪雨周、申濬模、崔東顯、韓容根、沈樂淳、金錫中、申衡模、張周祈、金濟洛、李元容、李培吉、崔在熙、尹泰昇、金鍾𢥠、金在龜、南'允升、尹益善、韓鎭彧、金眞秀。

次上

趙長年、鄭鶴朝、鄭樂淵、李種德、李晚容、金溶、鄭禹容、李容元、鄭樂和、李灝、金箕五、李壽萬、金準、沈樂善、洪義淳、沈泰永、韓明履、李栽游、尹燦、李壽億、任泰元、朴賚源、鄭基學、洪大元、尹達善、崔淑、尹焞、崔重義、李培哲、鄭永一、黃基德、沈魯曾、元世胤、崔煥達、申翼模、李慶會、鄭鉉豊、朴載壽、崔氣鎬、尹榮培、朴華壽、李義翼、兪宸煥、徐綮輔、申綮、金永浩、韓正履、尹致萬、李陽翼、朴振壽、崔靖淳、趙崗年、韓致弘、李容載。

詩三下

鄭相鎭、曺錫建、尹東溥、李鶴休、任百愼、李能彬、韓用冕、李濂、宋正玉、李遠鎭、李敏愚、趙昌年、宋建和、尹鳳浩、金簹秀、金奎應、李奎。

次上

李秉德、尹致鳳、李東爀、柳珽、趙熙徹、崔重厚、崔重翼、安思燮、金世斗、李濟翊、柳昌楙、崔鴻錫、任希濂、李運星、李雲驥、鄭大鉉、崔德峻、睦源翼、吳升黙、禹宗赫、宋魯和、李敏用、成進修、李翼書、洪厚永、鄭鐸善、許弼、任百謹、趙在寅、李鳳信、朴宗奭、趙萬鵬、洪純謨、沈永奎、尹用善、鄭基奭、崔昌來、李遇新、洪鼎謀】。

初三日。

設場是日, 收券三百三張, 夜出榜目。

【賦題, "避正堂舍蓋公", 詩題, "安知蓋公不往來於其間"】。

〔榜目〕

【賦三下

李容元、洪雨周、鄭禹容、崔煥達、李又新、李名愚、申綮、鄭基學、沈魯曾、趙長年、徐綮輔、尹致萬。

次上

申衡模、鄭鉉豊、金錫中、鄭樂和、沈魯洙、金鍾㶐、金在龜、沈魯弼、李鼎澤、宋應萬、申泰龍、趙彦和、黃基洛、金溶、李培吉、尹燦、洪羲淳、李鍾德、任泰元、崔煥翊、李羲翼、崔淑、沈樂淳、崔靖淳、鄭樂淵、韓致弘、崔在熙、朴載壽、李元容、元世胤、李慶會、李陽翼、趙崗年、金濟洛、金箕五、安秉玉、申濬模、崔東顯、申翼模、韓正履、李容載、金眞秀。

詩三下

曺錫建、趙昌年、李鳳信、李濟翊、白濚鎭、任希濂、趙熙徹、尹致鳳、李雲驥、李運星、趙在完、蔡魯永、李翼書、洪鼎謨、成進修、沈永奎、鄭基奭、鄭樂休、崔重翼、李遇新、崔昌來、柳珽。

次上

金奎應、李基昇、朴斗炫、李能彬、李鶴休、尹東溥、宋正玉、韓用冕、尹鳳浩、睦源翼、李秉德、宋廷和、崔鉉翼、元厚鄧、李壽洪、崔鴻錫、李濂、李東爀、許弼、尹養浩、洪純謨、鄭圭憲、金秀三、李載恒、朴宗瑜、朴會源、朴漢綺、兪鎭華、趙在性、安思煦、柳昌懋、李廷善、禹宗赫、宋持璟、崔顯周、李雲鵬、鄭大鉉、吳升黙、李奎、趙在寅、尹用善、李元基、宋孝玉、宋魯和、朴宗奭、趙基冕、鄭敎承、文在中、李翼魯、鄭鐸善、李秉武、李鵬信、李敏愚、任百愼】。

初四日。

設場是日, 收券二百三十張, 夜出榜目。

【賦題, "居士殆將隱", 詩題, "伊水別墅, 見簑笠牽蓮艇白衣與衲僧泝流吟嘯, 歎高逸之情莫及"】。

〔榜目〕

【賦三下

申衡模、鄭樂和、金鍾爀、金在龜、朴載壽、韓致弘、徐綮輔、李名愚、尹致萬

次上

李又新、元世胤、鄭鶴朝、申翼模、鄭基學、李鍾德、申濬模、沈泰永、金準、金星澤、金箕五、鄭禹容、洪雨周

詩三下

李濟翊、任希濂、沈永奎、李雲驥、金奎應、鄭基奭、安思燮、崔昌來

次上

趙昌年、曺錫建、趙熙徹、洪純謨、趙在寅、鄭敎承、李翼書、禹宗赫、李東爀、崔鴻錫、尹致鳳、林鶴柱、蔡魯永、李鶴休、崔鉉翼、李邦憲、尹東溥、朴宗奭、尹鳳浩、宋正玉】。

初五日。

華寧殿日次奉審。

同日。

公都會三日計劃後，賦取七人，試取九人，仍爲封啓。

〔**啓本**〕

謹啓爲試取事。

本府乙未、丙申兩年條公都會，臣於今月初二日*爲始*，連三場設行，而試官*段*，文移畿營，以延曙道察訪田齊賢差送，眼同試取後，出榜*爲白有如乎*。本府無講經儒生願講者*乙仍于*，依定式製述元額六人外，加抄二人，以準製講，八人之數*是白遣*。同入格儒生，開錄于後*爲白乎旀*，居首試劵，亦爲謄書，上送于內閣，緣由幷以馳啟*爲白臥乎事*。

【乙未條。

幼學李又新，年二十九，賦二分半，願赴生員試。

父學生運翼。

幼學洪雨周，年四十，賦二分半，願赴生員試。

父成均進士性謨。

幼學金在龜，年三十九，賦二分半，願赴進士試。

父幼學箕燦。

幼學金鍾爀，年五十八，賦二分半，願赴進士試。

父通德郎致聖。

幼學李雲驥，年五十一，詩二分半，願赴進士試。

父通德郎昇鎭。

幼學沈永奎，年三十二，詩二分半，願赴進士試。

父通德郎憲祖，生父通訓大夫行景慕官令尙祖。

幼學任希濂，年四十五，詩二分半，願赴進士試。

父學生喆中。

幼學鄭基奭, 年三十九, 詩二分半, 願赴生員試。

父學生濬容, 生父幼學循容。

丙申條。

幼學申衡模, 年四十三, 賦二分半, 願赴進士試。

父學生用祿。

幼學徐緊輔, 年三十三, 賦二分半, 願赴進士試。

父幼學有星。

幼學尹致萬, 年六十三, 賦二分半, 願赴生員試。

父贈通政大夫承政院左承旨兼經筵參贊官行折衝將軍順天營將衡烈。

幼學曺錫建, 年四十八, 詩二分半, 願赴進士試。

父通政大夫僉知中樞府事始振。

幼學趙昌年, 年三十六, 詩二分半, 願赴進士試。

父學生萬榮。

幼學李濟翊, 年四十四, 詩二分半, 願赴進士試。

父通德郞錫龜。

幼學金奎應, 年五十八, 詩二分半, 願赴進士試。

父學生希性, 生父學生希理。

幼學崔昌來, 年三十四, 詩二分半, 願赴進士試。

父幼學悳鎭】。

初七日。

華寧殿守門將差下事, 封啓。

〔狀啓〕

華寧殿兼守門將洪時榮瓜遞, 代以臣營哨官徐鎬豊差下*爲白去乎*, 令該曹依定式, 單付啓下之地*爲白只爲*。

初九日。

以華寧殿臘享祭享, 獻官陪香祇詣齋室。

初十日。

臘享祭享設行後, 封啓。

〔啓本〕

謹啓爲祭享事。

今月初十日, 行華寧殿臘享祭享, 臣以獻官進參設行後, 諸官職姓名開錄于後*爲白臥乎事*。

十二日。

本營褒貶等第封發, 以果川縣監鄭晩敎, 相避不得考績事, 別啓。

【〔褒貶等第〕

○ 華寧殿兼衛將朴蓍會【小心拱護, 上】。

○ 兼令李敏榮【一念敬謹, 上】。

○ 兼守門將洪時榮【以補仕滿, 上】。

○ 兼守門將金遠浩【守鑰恪謹, 上】。

○ 判官李敏榮【方喜羅完, 遽惜瓜熟, 上】。

○ 從事官李敏榮【民方惜去, 軍亦同惜, 上】。

○ 中軍朴蓍會【不煩不撓, 盜戢逋完, 上】。

○ 檢律卞學秀【律例頗鍊, 上】。

○ 別前司把摠振威縣令南興中【愆納亟督, 上】。

○ 別左司把摠龍仁縣令金芸淳【軍民胥悅, 上】。

○ 別中司把摠金魯學【久而益勤, 上】。

○ 別右司把摠安山郡守李俊秀【來固屬耳, 上】。

○ 協守兼把摠始興縣令李鳴遠【前評無改, 上】。

○ 斥堠將迎華道察訪吳致健【可矯弊邑, 上】。

○ 禿城兼把摠朴著會【糴政就緖, 上】。

○ 屯牙兵把摠平薪鎭僉使朴允默【催撫兩得, 上】。

〔別啓〕

臣營屬別五司把摠中, 別後司把摠果川縣監鄭晩敎, 與臣爲舅甥之親, 故去春夏等褒貶時, 不得一體磨鍊之意, 別啓陳聞*爲白有在果*, 今秋冬等褒貶*段置*, 不得循例磨鍊*是白乎旀*, 緣由馳啟*爲白臥乎事*。

十四日。

以顯隆園忌辰祭享, 獻官陪香祝詣齋室, 是日, 奉審閣臣金令學性, 下來。

十五日。

祭享設行後, 封啓。是曉, 與奉審閣臣, 同爲入府, 早朝往見, 辭別。

〔啓本〕

謹啓爲祭享事。

今月十五日, 行顯隆園忌辰祭享, 臣以獻官進參設行後, 園上奉審,雜草雜木無*乎是白遣*, 四山之內, 亦無樹木犯斫之弊*是白乎旀*。祭官職姓名, 開錄于後, 緣由馳啟*爲白臥乎事*。

同日。

華寧殿焚香奉審後, 封啓。

〔狀啓〕

臣於今日, 華寧殿焚香後, 仍爲奉審, 則殿內諸處無頉*是白乎*。卽接顯隆園令李民耆牒呈, 則"今日, 園上、殿內奉審無頉"*是如爲白有等以*, 緣由馳啟*爲白臥乎事*。

十七日。

牛禁另飭事, 傳令各面。

〔傳令〕

爲惕念禁斷事。

牛隻潛屠, 係是三禁之第一條件, 而朝令自來嚴重, 營飭繼以申複是*去乙*, 近來民習, 瞥不外法, 種種犯禁, 前後現捉, 不一而足, 言念紀綱, 萬萬寒心。牛畜之關係農務, 果何如? 而豪班頑民, 罔念法意, 無難冒犯, 日就耗縮歲減, 一歲耕墾, 每患失時, 豊歉從以判焉, 此豈細故也哉! 若或一任抛置, 不卽嚴加禁斷, 則非但法禁之蕩然, 東作不遠, 墾闢無路*乙仍于*。營門之斷斷苦心, 牛禁一事, 必欲始終牢守, 萬不饒改*是如乎*。

見今歲除在邇, 或慮有奸細輩, 恣意私屠之弊, 有此先甲之令*爲去乎*, 以此傳令, 家諭而戶曉, 朝禁而暮飭, 俾無一民犯科之地是矣。萬一有冒犯者*是去等*, 毋論班常, 一一指名馳告, 以爲嚴刑照律之地*爲旀*,

所謂面任輩, 循私掩匿, 不卽報來*是如可*, 現露於別跂廉探之下, 則犯者*除良*, 該面任, 難免重勘, 除尋常, 惕念擧行。令到日時, 擧行形止, 先卽馳報*向事*。

二十日。

華寧殿日次奉審。

二十四日。

境內九十老人及孝行人酒肉存問事, 傳令各面。

〔傳令〕

爲知悉擧行事。

歲時存問高年孝悌, 漢吏之良法也。玆欲倣而行之*爲去乎*, 本面九十老人及孝行人, 各酒一壺肉二斤式, 成單子後錄, 出送該面任領納, 仍爲存問後, 形止馳報*向事*。

二十五日。

華寧殿日次奉審。

二十六日。

淸國憲書下送有旨祗受事, 封啓。

〔狀啓〕

本月二十五日, 左副承旨趙秉憲, 成貼有旨內, "今次淸國憲書一件下送, 卿其營上事"有旨一度。臣於當日, 在本營祗受, 緣由馳啓*爲白臥乎事*。

同日。

丁酉歲首, 應資老人後錄, 封啓。

〔狀啓〕

卽接本府判官兼任中軍朴著會牒呈, 則"來丁酉歲首, 應資老人, 修成冊牒報"*亦爲白有等以*, 老人職姓、名、年歲後錄, 馳啟*爲白臥乎事*【前正言金若水, 年八十, 住楚坪】。

同日。

龍珠寺久居僧徒, 依定式後錄, 封啓。

〔狀啓〕

龍珠寺三十年久居僧徒, 依南北漢例, 令守臣狀聞後, 帖加成給事。曾有丁巳定式而伊後, 限滿僧徒, 連爲開錄馳啟, 俱蒙帖加之典*是白如乎*。自丙寅至丙申滿三十年久居者, 又爲五名*是白乎等以*, 謹依定式, 同限滿僧徒等, 名數後錄, 馳啟*爲白去乎*, 帖加一款, 令該曹稟處*爲白只爲*【通政釋義坎、通政釋致琦、通政釋善贇、閑散釋道均、閑散釋最悅】

二十八日。

健陵正朝祭享, 獻官金臺在三, 下來。

二十九日。

以顯隆園正朝祭享, 獻官陪香祝, 詣園所。

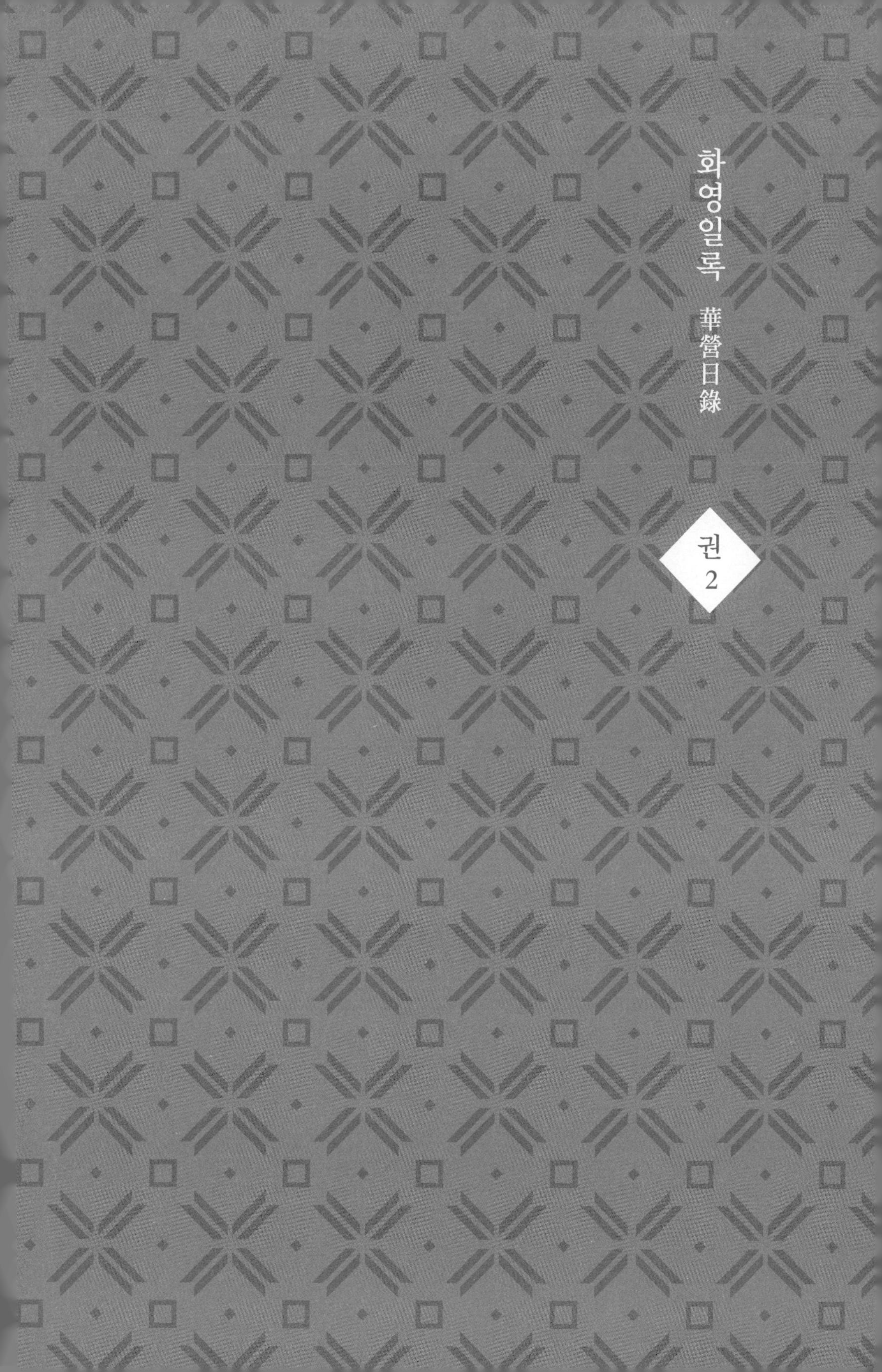
화영일록 華營日錄
권 2

정유년丁酉年 1837년, 헌종憲宗 3년 1월

丁酉正月初一日。

顯隆園正朝祭享, 以獻官進參後, 封啓。

〔啓本〕

謹啓爲祭享事。

今月初一日, 行顯隆園正朝祭享, 臣以獻官進參設行後, 園上奉審, 雜草雜木無*乎是白遣*, 四山之內, 亦無樹木犯斫之弊*是白乎旀*。祭官職姓名, 開錄于後, 緣由馳啟*爲白臥乎事*。

同日。

因享役, 不得進參於孝成殿禫祀而詣客舍, 行望哭, 易吉服, 愴廓罙增, 仍行望闕禮。中軍判官、迎華察訪、果川縣監, 竝參健陵獻官, 入來壯南軒, 少話旋發。

同日。

華寧殿焚香奉審後, 封啓。

〔狀啓〕

臣於今日, 華寧殿焚香後, 仍爲奉審, 則殿內諸處無頉*是白乎旀*。卽接顯隆園令李民耆牒呈, 則"園上、殿內奉審無頉"*是如爲白有等以*, 緣由馳啟*爲白臥乎事*。

初二日。

自營離發, 中火于果川, 夕抵筆谷, 封離發啓, 又封春操設行計料事啓。

〔狀啓〕

臣以陳賀班進參事, 當日發行上京, 緣由馳啟*爲白臥乎事*。

〔狀啓〕

臣營馬步軍兵, 今春習操, 依定式, 擇日設行計料*爲白乎旀*, 本城及禿城山城城操, 亦爲一體爲之*爲白乎喩*, 竝令廟堂, 稟旨分付*爲白只爲*。

初三日。

祔廟箋文三度、尊崇箋文三度, 奉送畿營。

〔祔廟箋文〕

伏以三霜之餘哀, 尙切慕深羹墻, 兩朝之祔禮, 肇稱慶溢宗祏。式序昭穆, 允叶情文, 恭惟光紹弘圖, 適追來孝, 篤宸慕於追遠報本, 喪盡哀, 祭盡誠。纘丕序於遺大投艱, 志善繼, 事善述, 迨中月遵常禫之制, 而吉日擧陞祔之儀。

伏念臣職忝釐東, 志切拱北, 仰太室宗禋之禮, 慟靡逮於遺弓, 效華封請祝之規, 誠粗殫於擧笏, 臣無任望天仰聖激切屛營之至。

右大殿。

伏以熙事載成於常禫, 愴三霜之甫終, 縟禮爰擧於宗禋, 仰兩聖之陞祔, 悲喜交切, 神人共休。

恭惟德媲女堯, 功邁母任, 配皇祖而贊化, 壼範丕彰, 誕寧考而篤休, 慈恩普洽, 迨殷禮肇稱於太室, 而燕賀交騰於昕庭。伏念臣績乏保釐, 誠切攢祝, 遺弓莫逮, 尙纏縟蟻之忱, 寶函祇擎, 粗殫虎拜之悃, 臣無任望, 天仰聖激切屛營之至。

右, 大王大妃殿。

伏以殷制甫闋, 愴祥禫之奄過, 魯廟虔禋, 仰昭穆之幷祔, 縟儀載擧, 餘哀寀深。恭惟祥膺曾沙, 養隆長樂, 德侔夏塗山配禹, 六闈均頌陰教, 功恊周太任誕文, 八域徧荷慈覆。肆堂喪制纔畢, 爰覩祔禮之肇成, 臣職忝保釐, 誠切蹈忭。喬山之歲月易邁, 尙纏拚龍髯之恫, 慈極之春暉方舒, 粗殫祝鮐背之悃, 臣無任望天仰, 聖激切屛營之至。

右, 王大妃。

〔尊崇箋文〕

伏以舊邦維新, 命重宸闈, 享泰之治, 德必得名, 兩殿進崇賁之號, 虔奉顯冊, 光昭徽音。恭惟丕承、燕謨誕懋駿德, 慈訓祗奉於任、姒, 誠篤三朝, 聖孝允符於舜、文, 養隆一國, 肆遵列聖朝彛典, 爰進兩慈殿徽稱。

伏念臣績乏釐東, 志切拱北, 躬陪玉仗, 縟儀幸覩於抃鰲, 手擎琅函, 微忱粗殫於拜虎。臣無任望, 天仰聖激切屛營之至。

右, 大殿。

伏以衍寶籙於慈天, 聿迓駿命, 擎瑤牒於吉日, 加隆鴻名, 顯冊荐揚, 徽範丕闡。恭惟媲周母姒, 軼宋女堯, 配皇祖而治贊翟褕, 慈恩普洽於寰宇, 翊聖躬而謨詒燕翼, 宗祊永鞏泰磐, 肆當慈德之光臨, 擧仰徽稱之加晉。伏念臣忝叨華封, 竊效崇呼, 頌柔化於克儉、克勤, 誠懸北極, 介景福於曰康、曰壽, 拜獻南山。臣無任望天仰, 聖激切屛營之至。

右, 大王大妃殿。

伏以宮闈衍祥, 八挻共囿於慈覆, 琬琰昭度, 二字棐稱於徽猷, 勉回謙衷, 丕膺渙號。恭惟德恊儷日, 位尊長秋, 脫珥周闈, 配寧考而恊贊鴻化, 服練漢殿, 翊聖躬而永裕燕謨, 玆當寶曆之綿休, 爰擧玉牒之揚烈。

伏念臣釐東績乏, 拱北誠深, 檢玉泥金, 幸覩百世之闡美, 升日恒月, 粗伸萬年之祝禧, 臣無任望天仰聖, 激切屛營之至。

右, 王大妃殿。

初四日。

內閣箋文, 二度修呈。

〔祔廟箋文〕

伏以亮闇制終, 方深慨廓之思, 宗禋禮重, 聿擧陞祔之儀, 神人胥歡, 區宇同慶。恭惟學懋就日, 孝著出天, 駿德自昭於遵先, 湯盤存警, 燕謨祗承於啓後, 堯羹寓誠, 玆當三霜之奄過, 爰擧兩廟之躋祔。伏念臣誠切請祝, 績乏保釐, 愀如見一倡三歎, 恫莫逮於褥蟻, 熾而昌萬有千歲, 誠粗殫於抃鼇, 臣無任望天仰聖, 激切屛營之至。

〔尊崇箋文〕

伏以璇闈衍慶元春, 届卽吉之期, 瑤牒昭休, 慈極進揚徽之號, 誠深愛日, 頌騰擶天。恭惟丕顯丕承, 止仁止孝, 寶扆纘艱大之緖, 夙夜宷勤, 長樂奉怡愉之歡, 春暉欲報。拚懿號而慈德賁闡, 進顯冊而宸孝益光。

伏念臣猥厠邇班, 獲覩縟禮, 無疆惟休, 無疆惟恤, 燕賀載擧於嵩呼, 必得其壽, 必得其名, 蟻忱粗殫於華祝, 臣無任望天仰聖, 激切屛營之至。

初五日。

勸農綸音祗受, 形止封啓。

〔狀啓〕

本月初二日, 右承旨朴宗吉成貼有旨內, “王若曰 : 嗚呼! 恭惟我先大王一念民天, 造次靡懈, 恤恤乎稼穡之艱難, 光御三十四年之間, 休氣充塞, 天和傒應, 太史有年之書, 屢書而不一書, 此皆今日方伯守令之所嘗躬覩而攢仰者也。

藐予沖人, 嗣承艱大之業, 三霜奄畢, 孺慕罙新, 其所以欽承前寧人之遺志, 仰體昔日懷保之至仁, 盛德尤在於勤民而重農。夫農者, 天下之大本, 而穀者, 民之司命也, 農不殖則民不穀, 民不穀則國無以爲民, 是以神農親耕, 禹、稷躬稼, 文王卽康功田功, 古昔先王, 所以汲汲焉, 惟是之爲先務。農之爲務, 最於不失其時, 仰候中星, 旁察五運, 水功之蓄洩, 土宜之燥沃, 農器之便利, 無不備具, 莫或愆失然後, 始可望於萬億及秭如京如坻, 斯爲農夫之慶, 亦惟邦家之上瑞也。其在字牧之任者, 孰敢不戒飭省事, 抑末敦本, 宣揚今日敷告之至意也? 況今關北、關東, 洊歉相仍, 流離顚連近止之憂, 迫在呼吸, 兩南之綿農, 又此大無, 哀彼無衣無食, 如鶉如鵠者, 何賴而爲生?

凡係停斂、賙、賑之方, 仰藉如天之慈德, 春煦海涵, 咸育於太和, 陶匀之中, 雖其頷顣, 凍寒切於肥膚, 必有以仰感, 德意回咷爲笑,轉苦爲樂, 保抱携持, 各安其堵, 各趨其業。今玆青陽載回, 駿發在爾, 農夫克敏, 田畯至喜, 受福降康, 同我泰平, 自今伊始, 如執左符, 嗚呼! 咨爾有司之臣, 殫竭乃心, 罔敢或逸。勸課濟恤之策, 苟有利於農, 而裕於民者, 各盡其力, 俾我八方民庶, 共沐春臺之化, 永無蔀屋之愁, 非獨予一人之幸, 實惟宗社生靈之福, 咸須諦悉, 庸副至意事"有旨一度。

臣於今月初四日戌時量, 在京祗受後, 發甘申飭於本府判官, 兼任中軍朴蓍會, 使之一一曉諭於境內民人等處*爲白乎旀*, 臣亦謹當隨時審察, 勸課其趨澤, 補助其艱乏, 以對揚重農, 裕民之盛德至意, 計料緣由馳啟*爲白臥乎事*。

初六日。

孝成殿、孝和殿, 祔太廟祗迎班進參, 仍留宗廟門外依幕, 是夜入參春享大祭。

初七日。

宗廟親展謁, 出還宮時, 陪從仍參, 問安班陳賀時, 陞殿。

初十日。

大王大妃殿、王大妃殿, 上尊號陳賀時, 陞殿。

同日.

頒赦文祗受, 形止封啓。

〔赦文〕

王若曰：於乎! 繼序皇祖，祥禫外除，玆予大享先王，昭穆竝祔，肆將訪落之遺意，庸荅遏密之餘思，禮不敢過，哀有未盡。恭惟我純宗大王，姿挺上聖，運撫太平，華渚虹流之符，尼岑庚降之會。在沖齡而懋夙夜基命之念，逮久道而收終始典學之功。致宗廟之敬，承殿宮之歡，放諸東海而準，協日月之明，包天地 之大，譬如北辰其居。嗟! 環域億萬群生，勞來匡直之使自得，厥享國三十四載，親賢樂利之於不忘，所以聖功神化之大成，罔非天德王道之極致。廓掃潢醜，邦討用張，痛闢洋邪，民彝攸敍。有夏象物之器，魑魅莫逃，方春布德之綸，草木皆樂，精義則俟百不惑，治法則秉三以施，國是大定於紹先，兢兢乎陰陽、淑慝之際，天命永祈於諴小，憧憧乎水旱災咎之間。其惟聰明睿智神武而不殺夫，斯乃鰥寡孤獨癈疾者有養也，矧玆克儉於卑室，實由丕顯於小心，屛外物之芬華，宴居驗淸明之象，寂上載之聲臭，躬行有玄默之風，猗謨烈無能爲名，伊文章可得而見，圖書應奎壁之運，化則有靈臺鳶魚，制作回雲漢之光，奉以爲西序琬琰。亦惟我翼宗大王，地當主器之重，天開繼照之祥。濬哲文明，堯于勤而舜攝，謳歌訟獄，禹之道而啓承，三善一有之資。自齒學而謹世子之法，九經四勿之旨，曁聽政而欽聖人之言，是知繼述之方，皆以仁孝爲本，玉牒歸美，甲觀衍萬年之基，瑤觴集禧。海屋添四旬之慶，烝嘗禴祠之克毖，肅圭瓚而攝儀，禮樂政刑之允釐，協笙鏞而贊化，睿工摠括經史。每頌討論之至夜分，宸藻動合典謨，擧仰尊閣之在其上，邦有泰盤之勢，朝登星海之謠，何閟運之重罹? 奄眞遊之荐陟，景籙未集於大統，鶴馭先催，遐籌不及於中身。烏弓繼抱，神雲斂蒼梧之野，哀小子之藐孤，慈天臨紫微之垣，奉太母之閔覆。漢家世獻，縱或伸擧國大同之情，周王追尊，豈能慰終天靡極之慟？寓羹墻之深慕，寶閣訖編摩之工，拓壇墠之舊規，太室就礱密之役。肆當慨廓之日，厥有陞祔之文，流光易遒，居然雕几之永撤，彝典克備，時則玄服之皆將。因祫事而迭遷，三年之喪旣畢，奉稱位而咸秩，七世之德可觀。晨昏之尙有瞻依，神寢孔邇，雨露之采增怵惕，靈龕云遐。

本年正月初七日，躋祔于廟，犧尊盈孚，龍祈承禧。祖有功而宗有德，列聖之陟降洋洋，陳其器而設其衣，多士之奔走濟濟。喪祭有受，牲幣稽壬戌之攸行，孝思無窮，軒架遵正廟而不作。陶遂之誠方切，休恤之憂亦多，體元履端，愴物采之如舊，滌瑕盪垢，喜霈澤之維新。於戱，嘉與父老軍民，昭告駿惠之頌，自此春臺化域，祗承燕詒之謨，故玆敎示，想宜知悉【大提學趙寅永製進】。

〔狀啓〕

卽接本府判官兼任中軍朴著會牒呈，則“頒賜文一度，今月初八日酉時量，典獄寺主簿宋益烈賫來*乙仍于*，依禮文祇受，頒布”*是如爲白有等以*，緣由馳啓*爲白臥乎事*。

十一日。

判官赴任事，封啓。

〔狀啓〕

卽接本府判官金漢淳牒呈，則“丙申十二月二十五日，政本職除授，今月初八日辭朝，初十日赴任”*是如爲白有等以*，緣由馳啓*爲白臥乎事*。

十二日。

頒賜文祇受，形止封啓。

〔赦文〕

王若曰：太寢宗勛華之德，幷升明禋，京室嗣任、姒之徽，同晉顯冊，其禮則《國朝故事》，是日也月正上旬。猗太母懿範、隆功，邁前代聖女、哲后，自純祖冕迎之日，誕敷三十載蘋藻之治，逮翼考鬫縣之辰，永基億萬年瓜瓞之業。原百福之始，而惋愉先於殿宮，資萬物之生，而勤儉本於家室。方玄紞之騰誦，遽蒼旻之降災，緱岑之笙鶴未廻，民胡無祿？喬山之弓劍莫逮，理實難諶，迺者宮闈抗衰之儀，寔軫宗祊綴旒之勢。翟褕降哀痛之教，勖以先君，麻冕荷鞠育之恩，閔予小子。

翟褕降哀痛之教，勖以先君，麻冕荷鞠育之恩，閔予小子。俟聖不惑，有若增七廟之制，定百世之獻，繼列祖之編。視民如傷，以至蠲東州之垛，停南路之織，轉北方之粟。雖簾帷主於靚邃，象魏懸日月之明，而㠓幪遍於邇遐，肖蝡涵雨露之澤。彤管之模厚地，史不勝書，玉牒之頌慈天，典有可考。

亦粵我大妃思媚之譽，寔贊前寧人造端之休，襲芳猷於長秋，婦道克愼，迓純祺於彌月，母儀采隆。舊愴重以新哀，曁今日尙賴保護，慈恩兼乎嚴訓，無一事不勤提撕。璇闈承三朝之歡，恒祝海籌之添慶，斑衣供千載之養，益思春草之報暉。肆於二廟躋祔之餘，合有兩殿崇奉之擧，儀文賁新於南面，孝以顯親爲先，位號咸宜於東朝，禮惟備物而後。“神憲”、“仁粹”之順序，世德作求，“慶壽”、“隆祐”之辨名，古訓是式，揄徽闡烈，固無間於微衷，居正標尊，儘莫尙於太上。謹奉冊寶，尊明敬大王大妃殿下加上尊號曰“文仁”，尊王大妃殿下上尊號曰"孝裕"。邦典上告而下布, 天運否往而泰來, 文室則顯, 武室則承, 縱虛雲之寂斂, 王母之福壽母之喜, 庶靈春之長留, 寰宇聳觀, 奚但縟禮之丕飾? 雷雨作解, 寔惟慈德之普推。

於戲, 吉祥之事皆臻, 太平之象可見, 山川、草木, 摠入子育之仁, 松柏、崗陵, 擧仰申錫之美, 故玆敎示, 想宜知悉事敎書【大提學趙寅永製進】。

〔狀啓〕

卽接本府判官金漢淳牒呈, 則"頒賜文一度, 今月十五日酉時量, 守門將金遠喜齎來*乙仍于*, 依禮文祇受, 頒布"*是如爲白有等以*, 緣由馳啟*爲白臥乎事*。

十五日。

離發中火于果川, 申刻抵營。華寧殿、顯隆園奉審無頉事, 封啓, 又封還營啓。

〔狀啓〕

卽接華寧殿兼令金漢淳牒呈, 則"今月十五日, 焚香後, 仍爲奉審, 則殿內諸處無事"*是如爲白乎旀*。同時到付顯隆園參奉趙秉緯牒呈內, "今月十五日, 園上、殿內奉審無頉"*是如爲白有等以*, 緣由馳啟*爲白臥乎事*。

〔狀啓〕

臣以陳賀班進參事, 上京*爲白有如可*, 當日還營, 緣由馳啟*爲白臥乎事*。

二十日。

華寧殿日次奉審。

二十五日。

華寧殿日次奉審。

二十七日。

外帑庫封不動磨勘, 成冊修正上送事, 封啓。

〔**狀啓**〕

外帑庫封不動錢, 前在爲一萬八百八十六兩, 而丁酉歲入三千兩, 當依節目準數奉入*是白乎矣*。修城庫錢一天兩*段*, 北屯年久塡淤幾乎成陸, 不可不及今疏濬, 而所入物力, 不得不取用於修城庫*乙仍于*, 貯置庫錢二千兩*㐲*, 入庫後, 成冊修正, 上送于承政院*爲白乎旀*, 緣由馳啓*爲白臥乎事*。

정유년丁酉年 1837년, 헌종憲宗 3년 2월

二月初一日。

開東詣客舍, 行望闕禮, 中軍、迎華察訪、振威縣令朴長馣竝參。

同日。

華寧殿春大奉審後, 封啓。

〔狀啓〕

華寧殿春孟朔大奉審元定*是白在*, 去月十五日, 臣在京未還, 不得擧行*是白遣*, 今月初一日焚香後, 仍爲去行。而兼令臣金漢淳, 適爲上京, 故以迎華道察訪吳致健, 權差兼令, 與兼衛將臣朴蓍會眼同奉審*是白乎*, 則殿內諸處, 俱爲無頉*是白乎旀*, 卽接顯隆園令李民耆牒呈, 則"園上、殿內奉審無頉"*是如爲白有等以*, 緣由馳啟*爲白臥乎*事。

初三日。

丙申夏等賞試射, 開場于東將臺, 試取頒賞。

初五日。

華寧殿日次奉審。

初十日。

華寧殿日次奉審。

十三日。

題本府殺獄檢案。

【貢鄉被告朴三奉，勒加惡名於金東田，自縊致死。檢官振威縣令朴長馣】

〔題〕

屍帳*捧上是在果*。

主之以檢案，而自縊有痕，參之以詞證，而被打無驗，此獄實因，更無疑眩，不請覆檢，誠爲得體*是旀*。未捉贓物，勒加惡名，坐私門而縛打，是何愚悖之習？招巫覡而詛呪，又胡妖誕之極？遂使死者，痛横逆之誣衊，寧溘死而無訛，捐捨七尺之軀，倏在俄頃之間。縱云死不由打，何異梃之與刃？檢庭頑賴，妄引不相干之張士仲者，亦極狡惡是乃在渠，猶屬薄物細故*是如乎*，同被告朴三奉身乙，爲先箇箇考察，嚴刑日次，取招牒報*爲旀*。妖呪誣人，法禁至嚴*𫝟除良*，此獄根因，非渠伊誰？干連白*召史*，一體嚴刑取招*爲旀*，金判興*段*，觀於跋尾中"跳踉恐動"等語，其檢庭悖慢之光景，可以像想*是如乎*。無嚴極矣，不可以屍親曲恕，嚴刑日次，懲勵放送*爲旀*。

東作在卽，滯囚可閔，應問各人，等一倂自檢所，放送*是遣*，只被告干連，及金判興三囚*𫝟*，着枷押送于本府獄*爲旀*，張士仲、安萬孫*段*，今無更問之端，幷以撤捕事，文移于本府判官，以爲依題辭擧行之地爲旀，行檢後，屍體封標以待處分，自是不易之規例*是去乙*，今此檢狀中，不少概及是何委折*是喩*，屍體卽爲出給，俾卽埋瘞*爲旀*，項喉之"喉"字，誤作"㗋"字，硼中之"硼"字，誤作"綳"字，抑勒之"抑"字，誤作"臆"字，擧行刑吏，別附過*向事*。

十五日。

開東詣客舍, 行望闕禮, 中軍、判官、迎華察訪, 幷參。

同日。

華寧殿焚香奉審後, 封啓。

〔狀啓〕

臣於今日, 華寧殿焚香後, 仍爲奉審, 則殿內諸處, 俱爲無頉*是白乎旀*, 卽接顯隆園令李民耆牒呈, 則"今日園上、殿內奉審無頉"*是如爲白有等以*, 緣由馳啟*爲白臥乎事*。

二十日。

華寧殿日次奉審。

二十五日。

華寧殿日次奉審。

二十八日。

陵、園所局內, 年例補植事, 封啓。

〔狀啓〕

卽接健陵參奉趙道林、顯隆園參奉趙秉緯牒呈, 則"局內樹木稀疏處, 年例補植之役, 自今月二十五日爲始, 二十六日至畢役"*是如爲白有等以*, 補植經界及植木株數, 後錄馳啟*爲白臥乎事*。

同日。

本營及屬五邑春操軍兵, 赴役於堤堰修築事, 封啓。

〔狀啓〕

*前矣到付*備邊司關內, “*節*啓下*敎*司啓辭, ‘各道春操稟啓, 今纔齊到矣, 詰戎之政, 許久停閣, 雖甚可悶, 設賑諸道, 旣不可更煩徵調, 其餘四道, 非但豐歉之相錯, 亦有轉輸之爲勞, 窮春擾民, 尤屬當念。今春八道四都水陸諸操及巡歷巡點, 竝姑停止, 公私賑邑外, 官、鎭門聚點, 使之着意擧行, 充伍繕械, 另加操飭, 毋敢視以文具, 有堤堰處, 疏濬防築之節, 依近例移點完役, 俾有實效, 各樣都試, 竝爲設行, 而關東三鎭春等都試, 道臣旣請退行, 許令待秋合設之意, 分付何如?’, 答曰 : ‘允事’傳敎*敎是置*, 傳敎內辭意, 奉審施行”*亦爲白有等以*。臣營馬步軍兵, 依例聚點, 俱無闕額, 而步軍*段*, 使之排日付役於萬石渠疏濬之役*爲白乎旀*, 所屬五邑軍兵, 亦爲依關辭擧行之意, 傳令知委*是白加尼*。卽接安山郡守李俊秀、始興縣令李鳴遠、龍仁縣令李鍾允所報、則“本縣軍兵, 移點於堤堰疏鑿之役”*是如爲白遣*。振威縣令朴長馣、果川縣監鄭晚敎所報, 則“別無堤堰修築處, 故依例聚點, 俱無闕伍”*是如爲白有等以*, 緣由馳啓*爲白臥乎事*。

同日。

出往西北屯, 看審疏鑿形便。

二十九日。

健陵寒食祭享, 獻官金臺在三下來。

정유년丁酉年 1837년, 헌종憲宗 3년 3월

初一日。

華寧殿奉審後, 封啓。

〔狀啓〕

臣於今日, 華寧殿焚香後, 仍爲奉審, 則殿內諸處, 俱爲無頉*是白乎旀*, 即接顯隆園令趙秉緯牒呈, 則"今日園上、殿內奉審, 無頉"*是如爲白有等以*, 緣由馳啟*爲白臥乎事*。

同日。

以顯隆園寒食祭享, 獻官陪享祝詣園所。

初二日。

祭享設行後, 封啓。健陵獻官, 入府旋發。

〔啓本〕

謹啓爲祭享事。

今月初二日, 行顯隆園寒食祭享, 臣以獻官, 進參設行後, 園上奉審, 雜草雜木無*乎是白遣*, 四山之內, 亦無樹木犯斫之弊*是白乎旀*, 祭官職姓名, 開錄于後, 緣由馳啟*爲白臥乎事*。

同日。

陵、園所春大奉審後, 封啓。

〔啓本〕

謹啓爲奉審事。

臣於本月初二日, 健陵陵上、丁字閣、碑閣以下諸處, 顯隆園園上、丁字閣、碑閣以下有頉處奉審後, 健陵、丁字閣有頉處及祭器、雜物破傷者, 開錄于後*爲白去乎*, 令該曹, 卽速修改*爲白乎旀*。

顯隆園園上、丁字閣、碑閣以下有頉處, 依例自臣營筦千庫, 從便修改*是白遣*, 樹木*段*, 火巢闊遠, 不能一一摘奸, 而這這巡審, 俾無犯斫之弊事, 另加申飭於陵園官處*爲白乎旀*。萬年堤垌內一體看審, 則俱爲無頉*是白遣*, 鷺峰浮石所, 發遣褊裨摘奸, 則"封標內, 亦無頉處"*是白乎等以*, 緣由幷以馳啟*爲白臥乎事*。

同日。

亡兒一塊肉, 只有一女在矣, 自去年臘月, 始以蛔積, 終成浮腸, 四朔沈痼, 是日自園所還營見家信, 則以去三十日化去矣。情理慘絶, 一似無二於人, 其母號哭欲絶云, 卽令急速襲斂, 送埋於金阡庶祖母墓右。慟哉! 慟哉!

同日。

金陵搬移在於初六日, 故從子婦, 奉祠宇先發, 余以親候之欠寧, 不得隨行, 而出往五里程祗送, 使有未陪往直, 抵樊里新舍。

初四日。

春麰畢耕事, 封啓。

〔**狀啓**〕

卽接本府判官兼任中軍朴著會牒呈, 則"境內春麰, 今已畢耕"*是如爲白有等以*, 緣由馳啟*爲白臥乎事*。

同日。

北屯疏鑿始役。

北屯, 卽華城城役時設置者, 而壬、癸大水, 覆沙塡闕, 貯水無幾, 幾乎成陸。今春聚點軍兵, 移點于堰役, 自是日始疏鑿之役。

初五日。

華寧殿日次奉審。

初八日。

奉板輿離發, 中火于果川, 申刻抵筆谷, 封啓。

〔狀啓〕

臣有廟堂稟議事, 當日發行上京, 緣由馳啟*爲白臥乎事*。

十二日。

親臨納徵時, 進參。

十三日。

親臨告期時, 進參。

十五日。

華寧殿、顯隆園奉審無頉事, 封啓。

〔狀啓〕

卽接華寧殿兼令金漢淳牒呈, 則“今月十五日, 焚香後, 仍爲奉審, 則殿內諸處無事”*是如爲白乎旀*。同時到付顯隆園令李民耆牒呈內,

"今月十五日, 園上、殿內奉審無頉"*是如爲白有等以*, 緣由馳啟*爲白臥*
乎事。

同日。

農形封啓。

〔狀啓〕

卽接本府判官金漢淳牒呈, 則"境內農形, 秋麰下濕田早耕者, 間或
向靑, 春麰耕播差晩, 姑未立苗, 鍤役方始"*是如爲白有等以*, 緣由馳啟
爲白臥乎事。

十七日。

月食形止, 封啓。

〔狀啓〕

卽接本府判官金漢淳牒呈, 則"前*矣到付*禮曹關據, 今月十七日曉望, 月
有食之, 時依例救食"*是如爲白有等以*, 食體圖形, 依所報後錄, 馳啟*爲白*
臥乎事。

十八日。

親臨冊妃時, 進參。

同日。

嘉禮陳賀箋文, 封進。

〔箋文〕

伏以皇王之治建極, 政仰修齊之基, 君子之道造端, 聿覩舟梁之盛,

六儀元吉, 兩曜貞明。恭惟以天縱姿, 爲人倫至丕承丕顯, 駿命啓, 萬年之休宜室宜家, 鴻化播二南之什。猗歟! 天作合之慶, 實是坤定位之初。伏念臣兩載居留, 寸心圖報, 跡廁奎署, 長瞻蓬萊五雲, 地符華封, 恭祝本支百世。

右, 大殿。

伏以〈思齊〉之慈化普洽, 方仰母儀之尊, 貽燕之嘉謨誕垂, 聿覩壼位之正, 百兩以御億兆胥懽。恭惟德媲姬姒, 功邁女堯, 四載抗裘冕之治, 復奠泰盤之洪基, 六宮瞻翟褕之儀擧, 毓觀津之餘慶, 玆當冊后之日, 益迓緜籙之休。伏念臣拱于北辰, 尹玆南土, 跡忝漢閣邇列, 欣睹六禮之儀, 職同堯世華封, 尤切三祝之悃。

右, 大王大妃殿。

伏以京室播思媚之譽, 贊母后而承歡, 宗祊闡裕昆之謨, 冊中宮而正位, 縟禮載擧, 簪紳聳瞻。恭惟吉協黃裳, 頌騰玄紞, 以聖人爲子, 恒軫啓佑之方, 其承命用申, 益膺瀜洽之慶, 顧今中壼膺冊寶之日, 卽我宗社綿景籙之辰。伏念臣恩被虎符, 職隨鵷列, 周行跡廁, 瞻楓陛而呼三, 魯頌歌騰奉芝函而祝萬。

右, 王大妃殿

伏以坤承乾, 以配極道始造端, 月儷日而爲明禮隆莅壼, 翟翬揚彩, 〈關雎〉播謠。恭惟君子好逑, 俔天之妹, 柔嘉已得於天賦, 夙著令聞, 忠孝素傳於古家, 動合內則, 迨玆迎渭之日, 益仰自天之休。伏念臣職忝居留, 誠縣宸極, 八域同慶, 欣覩爛兮雲之儀, 萬壽無疆, 恭效恒如月之祝。

右, 中宮殿。

伏以紫極著出震之治, 啓億年之駿命, 黃裳叶重坤之象, 鞏萬世之鴻基, 萬品騰歡, 六禮咸備。恭惟紹舜察倫, 體文思服, 大統克繼於朝宗, 鳳曆緜遠, 百福實源於匹配, 龜筮脅從。玆當冊妃之辰, 益切祝聖之悃。伏念臣誠懸北闕, 職縻南都, 居留比沛之卿, 與父老而踏舞, 頌禱錫疇之福, 願子孫之熾昌。

右, 內閣箋文。

二十日。

嘉禮擧動時, 閣班陪從, 還宮後, 問安班進參。

同日。

雨澤狀啟。

〔狀啓〕

卽接本府判官金漢淳牒呈, 則"今月十八日戌時量, 始雨或灑或霔或止, 二十日辰時至, 所得爲二犁餘, 而營下測雨器水深爲三寸三分"*是如爲白有臥乎所*。惜乾之餘, 甘澍周洽, 言念民事, 誠爲欣幸, 緣由馳啟*爲白臥乎事*。

二十一日。

親臨陳賀時進參, 中宮殿朝見禮後, 問安班進參。

二十二日。

中宮殿朝見禮後, 問安班進參。

二十三日。

頒赦文祗受, 形止封啓。

〔赦文〕

王若曰 :《易》六十四卦, 乾元、坤元爲之基,《詩》三百五篇, 周南、召南爲之首。是故, 天德莫大於配體, 王道必先於正家, 式遵弘規, 載揚明訓, 永惟媲匹之際, 實是敎化之原, 有萬物然後, 夫婦、父子、君臣之倫, 得其敍矣。

合二姓以爲天地、宗廟社稷之主, 不亦重歟? 潙汭觀型, 贊虞庭垂衣之治, 洽陽作合, 衍姬家綿瓜之休, 蓋其百福源而四德全, 所以六禮備而九御統。肆當中月之制已畢, 政須長秋之儀亟行, 列祖之所顧歆, 亶由竝珈之承事, 兩殿之所企待, 亦係珩璜之嗣音, 徵天眷於瑞符, 中垣耀後句之位, 考邦典於嘉會, 大璋昭親迎之文。

王妃金氏, 篤生名祖之門, 近屬太母之系, 承奕世之鼎軸, 伊巫之忠藎有由, 纘皇祖之舟梁, 塗莘之福慶未艾。矧玆儀範之早就, 允矣令聞之夙彰, 織紝組紃, 十年聽婉娩之敎, 鍾鼓琴瑟, 六宮誦窈窕之章, 文定厥祥, 卜云其吉。東朝則哲之聖, 簡在柔嘉, 先王於昭之靈, 默有佑騭, 基厥初而本支百世, 稽于衆而卿士庶民, 玆涓昌辰, 誕擧縟禮。已於本年三月十八日乙未, 授冊寶正位, 二十日丁酉, 大婚禮成, 玄紞治內, 黃裳在中, 聳群瞻於肅雝, "釐爾女士", 奉慈敎於悅豫, "宜其家人", 譬若兩儀之交須, 斯義也合牢而合巹。自此萬姓之俯育, 其本則獻繭而獻穜, 翟褕初臨, 猗博厚之配地, 鳳綸遐暨, 庶惠澤之同春。於戲, 和氣瀜於宮闈, 歡聲溢於區宇, 至靜至柔之德, 猗趾儲祥, 一家一國之仁, 龜疇錫福, 故玆敎示, 想宜知悉【大提學趙寅永製進】。

〔狀啓〕

卽接本府判官兼任中軍朴著會牒呈, 則"頒賜文一度, 今月二十二日申時量, 守門將元錫中賫來*乙仍于*, 依禮文祇受, 頒布"*是如爲白有等以*, 緣由馳啟*爲白臥乎事*。

二十六日。

農形封啓。

〔狀啓〕

卽接本府判官兼任中軍朴著會牒呈, 則"境內農形, 今番雨澤後, 秋麰之立苗者, 一倍向茂, 春麰之早耕者, 漸次向靑, 早稻付種及注秧、乾播, 今方始役, 鍤役已畢"*是如爲白有等以*, 緣由馳啟*爲白臥乎事*。

二十八日。

雨澤狀啟。

〔狀啓〕

卽接本府判官兼任中軍朴著會牒呈, 則"今月二十七日辰時量, 始雨或霏或灑, 同日卯時至, 所得洽爲一鋤, 而營下測雨器水深爲七分"*是如爲白有等以*, 緣由馳啟*爲白臥乎事*。

정유년丁酉年 1837년, 헌종憲宗 3년 4월

初一日。

華寧殿、顯隆園奉審無頉事, 封啓。

〔狀啓〕

卽接華寧殿兼衛將朴蓍會牒呈, 則"今月初一日焚香後, 仍爲奉審, 則殿內諸處無頉"*是如爲白乎旀*。同時到付顯隆園參奉趙秉緯牒呈內, "今月初一日, 園上、殿內奉審無頉"*是如爲白有等以*, 緣由馳啟*爲白臥乎事*。

初二日。

出樊溪, 拜大宅祠宇, 仍留自然經室, 兩宿而歸。

初六日。

北屯疏鑿畢役事, 報牒來到。

〔中軍報牒〕

北屯疏鑿之役, 至初六日告竣*是乺在果*, 槩其形便, 島以西本土露出, 一望平鋪*是乎旀*, 島以東地形稍高, 勢難與下格相等*是乎乃*, 自築新堤, 截然爲兩池, 一池自爲一池之形*是乎旀*。橫堤*段*, 高低廣闊, 一依前此所報, 而底設水竇二處, 盛植河柳, 多被莎草*是乺遣*, 東邊圍堰*段*, 畚土設築, 定其經界, 無敢有如前冒耕之弊*是乎矣*。水道則任其舊址, 俾無大潦衝破之患*是乎旀*, 如意橋*段*, 撤去架上舊土, 則石築橫決柱木腐傷, 不可但以隨毁隨補, 故更築石堤, 略備新材, 一倂完築, 凡係屯役, 今皆次第告訖*是乎旀*。前後所入物力, 合爲二千四百十六兩二戔三分*是乎等以*, 修成冊上送, 緣由牒報*爲白臥乎事*。

同日。

農形狀啟。

〔**狀啓**〕

即接本府判官兼任中軍朴著會牒呈, 則"境內農形, 秋麰間或茁長, 春麰漸次向茂, 早稻付種已畢, 晩稻注秧及乾播, 方長"*是如爲白有等以*, 緣由馳啟*爲白臥乎事*。

初八日。

進實錄廳。

初十日。

賓對進參, 以健陵修改, 自莞千庫擧行事, 及八達門外御路, 以舊路還爲修治事, 筵稟蒙允。

〔**擧條**〕

"顯隆園遷奉後, 火巢內民田, 給價買取, 每年稅入[1], 儲置莞千庫, 丁字閣以下修補之節, 專綃擧行, 著爲令式, 行之至今, 而健陵修改, 猶循他陵寢例, 自度支擧行, 每當功役之作, 往復費日, 終不如該庫之朝令而夕備。且於一局之內陵園, 不宜異例, 自今依齊、厚陵修改之自開城府擧行, 獻陵修改之自廣州府擧行之例, 健陵修理, 除設

1 每年稅入 : 저본에는 없다. 비변사등록(備邊司謄錄) 225책(冊) 헌종憲宗 3년(1837) 4월에 의거하여 보충하였다.

都監大役外, 小小修葺之役, 一體自該庫擧行, 則事勢旣便, 情理亦叶, 而事體莫重, 下詢大臣處之, 何如? 大王大妃殿曰 : "大臣之意, 何如?" 右議政朴宗薰曰 : "筦千庫, 本爲園寢修改所需, 而設陵園, 事體宜無異同, 且有可援之已例, 依華留所奏施行, 似好矣." 大王大妃殿答曰 : "依爲之。"

又所啓, "本府八達門外御路, 卽己酉移邑之初, 尺量設始者也, 自上柳川, 過碧山洑, 歷下柳川, 以建大皇橋矣。乙酉年間, 設始南屯於碧山洑時, 移路於東偏陂坨之上, 旣而南屯水門有頉, 初不得貯水, 而往來行人, 以新作路之稍覺迂廻, 復從舊路側作路, 禁之不得。于今十餘年, 仍成大路, 而新作路則跋涉旣罕, 草薉茂盛, 春秋修治, 徒費民力, 今若復通舊路, 略加葺治, 以備幸行時輦路, 而新作路則許民耕墾, 每年稅入, 付之筦千庫, 則事甚便宜。大小民人, 一辭願此, 而當初移路, 旣是狀聞, 擧行之事, 有不敢擅便, 敢此仰達矣", 大王大妃殿答曰 : "以舊路爲之可也。"

十一日。

進實錄廳。

十二日。

進實錄廳。

十三日。

奉謨堂展拜時進參, 仍進奎章閣, 演慶堂奉審, 御眞標題書寫。

十五日。

宙合樓、演慶堂奉審時, 進參。

同日。

華寧殿、顯隆園奉審無頉事, 封啓。

〔狀啓〕

卽接華寧殿兼衛將朴蓍會牒呈, 則"今月十五日焚香後, 仍爲奉審, 則殿內諸處無頉"*是如爲白乎旀*。同時到付顯隆園令李民耆牒呈內, "今月十五日, 園上、殿內奉審無頉"*是如爲白有等以*, 緣由馳啓*爲白臥乎事*。

十六日。

農形狀啓。

〔狀啓〕

卽接本府判官金漢淳牒呈, 則"今月十五日巳時量, 始雨或灑或止, 同日酉時至, 所得幾近一鋤, 而營下測雨器水深爲五分*是乎旀*, 農形*段*, 秋麰間或胚胎, 春麰漸次茁長, 早稻付種及注秧間間立苗, 晩稻乾播已畢"*是如爲白有等以*, 緣由馳啓*爲白臥乎事*。

十七日。

兩廟影幀, 移奉景慕宮、景祐宮時陪從, 問安班進參。

十九日。

景慕宮擧動時陪從, 還宮後問安班進參。

二十日。

進實錄廳。

二十一日。

進實錄廳。

二十二日。

進講入侍。

二十三日。

進實錄廳。

二十四日。

進實錄廳。

同日。

西屯補築始役, 報牒來到。

〔**中軍報牒**〕

西屯堤垌蹲縮處, 補築之役, 以今二十四日爲始, 緣由馳啟*爲白臥乎事*。

二十五日。

太淳親事, 以二十七日涓吉, 而是日行三加之禮。

二十六日。

進講入侍公退後, 封農形啓。

〔狀啓〕

卽接本府判官金漢淳牒呈, 則"境內農形, 秋麰已盡發穗, 春麰間或發穗, 早稻付種及注秧已盡立苗, 晩稻乾播, 間或立苗"*是如爲白有等以*, 緣由馳啟*爲白臥乎事*。

同日。

夕行納幣之禮。

二十七日。

行親迎之儀, 醮禮後, 使新婦祗見祠宇, 仍行茶禮。撫古念今, 愴甚於喜矣。

二十八日。

進講入侍。

二十九日。

西屯補築畢役報牒, 來到。

〔中軍報牒〕

西屯堤垌蹲縮處補築, 今二十九日至畢役, 而容入物力爲六百七兩一戔七分*是乎等以*, 緣由馳啟*爲白臥乎事*。

同日。

製進端午帖。

〔五律〕

九闉赫弘敞,

薰颷殿角凉。

菖蒲涵淑氣,

綵仗泛祥光。

牒鏤慈徽闡,

舟迎福履將。

岡陵齊燕喜,

三壽頌洋洋。

〔七絶〕

紅榴初綻綠蒲香,

高閣稀聞暖漏長。

日午丹墀宣講旨,

儒臣首進二南章。

정유년丁酉年 1837년, 헌종憲宗 3년 5월

五月初一日。

華寧殿、顯隆園奉審無頉事, 封啓。

〔狀啓〕

卽接華寧殿兼領金漢淳牒呈, 則"今月初一日焚香後, 仍爲奉審, 則殿內諸處無頉"*是如爲白乎旀*。同時到付顯隆園參奉趙秉緯牒呈內, "今月初一日, 園上、殿內奉審無頉"*是如爲白有等以*, 緣由馳啟*爲白臥乎事*。

初二日。

離發中火于果川, 行到迎華亭, 看審北屯疏鑿形便, 未刻抵營, 封啓。

〔狀啓〕

臣有廟堂稟議事, 上京*爲白有如可*, 當日還營, 緣由馳啟*爲白臥乎事*。

初三日。

雨澤狀啟。

〔狀啓〕

卽接本府判官金漢淳牒呈, 則"今月初二日戌時量始雨, 或霏或灑, 當日丑時至, 所得僅爲浥塵"*是如爲白乎旀*, 臣營測雨器水深爲四分*是白乎旀*, 憎乾之餘, 甘澍伊始而瀸潤, 無幾旋卽開霽, 繼此沛然, 方切顒祝, 緣由馳啟*爲白臥乎事*。

同日。

乾陵端午祭享, 獻官洪台羲瑾, 下來。

初四日。

顯隆園端午祭享, 獻官陪香祝, 詣園所。

初五日。

祭享設行後, 封啓, 健陵獻官入府, 旋發。

〔**啓本**〕

謹啓爲祭享事。

今月初五日, 行顯隆園端午祭享, 臣以獻官進參設行後, 園上奉審, 雜草雜木無*乎是白遣*, 四山之內, 亦無樹木犯斫之弊*是白乎旀*, 祭官職姓名, 開錄于後, 緣由馳啟*爲白臥乎事*。

同日。

華寧殿日次奉審。

初七日。

出往西屯, 看審補築形便後, 仍坐杭眉亭, 與中軍半晌打話。

初八日。

農形狀啟。

〔**狀啓**〕

卽接本府判官金漢淳牒呈, 則"今月初七日申時量, 驟雨所得僅爲一鋤, 而農形, 秋麰入實, 春麰已盡發穗, 早稻付種, 初除草方始, 晩稻乾播向靑而旱餘, 驟過之雨纔潤, 無幾付種與注秧 間多乾涸”*是如爲白乎旀*。臣營測雨器水深爲六分*是白如乎*, 秧節已届, 惜乾頗久, 今番所得, 無異沃焦, 言念民事, 誠切悶然, 緣由馳啟*爲白臥乎事*。

初九日。

濬川之役, 自是日伊始, 出往看審。

初十日。

華寧殿日次奉審。

同日。

大王大妃殿, 誕辰箋文, 封發。

〔**箋文**〕

伏以節是千秋, 丕膺龜疇之福, 時維五月, 載回虹流之期, 慶溢宮闈, 歡均朝野。恭惟媲母任聖, 邁女堯姿, 陰功垂保翼之勤, 八域覃化, 聖配騰窈窕之頌, 二南造端, 肆當誕彌之辰, 擧切頌禱之悃。伏念臣一念拱北, 兩載釐東, 華封三祝, 誠幾切於拜虎, 嵩山呼萬, 禮粗伸於抃。

十四日。

因秋曹關, 本府無未錄啓罪人可以審理事, 封啓。

〔**狀啓**〕

*節到付*刑曹關內, “*節*啓下*教*, 今五月十二日, 大臣、備局堂上引見入侍

時, 大王大妃殿傳曰:'京外審理, 卽爲擧行事, 分付事傳敎'*敎是置*, 本府未錄啓罪人, 親執查究, 趁卽馳啟, 一以爲對揚盛意, 一以爲疏鬱、伸枉之地"*亦爲白有臥乎所*, 本府則初無未錄啓罪人之可以審理者*是白乎等以*, 緣由馳啟*爲白臥乎事*。

〔甘結〕

右甘爲今月十二日, 大王大妃殿傳曰:"祈雨祭不卜日設行分付事"命下矣。見今亢旱孔酷, 雨意漠然, 言念民事, 萬萬渴悶, 本府境內靈驗處, 祈雨祭不卜日, 今十五日, 虔誠設行*爲乎矣*。祭品、祭器之精潔, 祭官、執事之齋沐等, 節十分着念擧行*爲旀*, 行事後, 祭物及祭物器數、祭官職、姓名, 卽爲馳報, 以爲啓聞之地*宜當事*。

同日。

祈雨祭設行事, 發甘判官。

十五日。

開東詣客舍, 行望闕禮, 中軍、判官進參。

同日。

華寧殿夏大奉審後, 封啓。

〔狀啓〕

華寧殿夏孟朔大奉審元定*是白在*, 去月十五日, 當爲擧行, 而臣在京未還, 不得擧行*是白遣*, 今月十五日焚香後, 與兼令臣金漢淳、兼衛將臣朴蓍會, 眼同奉審*是白乎*, 則殿內諸處, 俱爲無頉*是白乎旀*, 卽接顯隆園令李民耆牒呈, 則"今日園上、殿內奉審無頉"*是如爲白有等以*, 緣由馳啟*爲白臥乎事*。

同日。

初次祈雨祭設行事, 封啓, 又封別軍官都試設行計料事啓。

〔狀啓〕

今月十二日, 大臣、備局堂上引見入侍時, 大王大妃殿傳曰："祈雨祭不卜日設行事傳敎"*敎是置*。本府農形, 惱旱之由, 前已馳啟*爲白有在果*, 向者驟過之雨, 無異沃焦而後, 七八日一直暵乾, 水泉斷流, 秧坂龜坼, 目下民情, 萬萬渴悶*是白乎等以*, 卽爲知委於本府判官金漢淳處, 祈雨祭不卜日, 以十五日, 虔誠設行社壇後, 祭官職、姓名, 開錄于左*爲白乎旀*。再次祈雨祭, 間二日, 以今十八日設行於府內光敎山計料, 緣由馳啟*爲白臥乎事*。

〔狀啓〕

臣營別軍官今春夏等都試, 以今月十六日擇定設行計料, 緣由馳啟*爲白臥乎事*。

十七日。

別軍官都試設行事, 封啓。

〔狀啓〕

臣營別軍官都試, 以今十六日設行之由, 已爲馳啟*爲白有在果*, 臣於當日, 與從事官金漢淳、中軍朴蓍會, 眼同開場試取後, 居首人姓名、年歲、父名、矢數及越薦年條、薦主人職·姓名開錄于左, 緣由馳啟

爲白臥乎事【左列別軍官崔弘元各技合十矢二分】。

十八日。

再次祈雨祭設行事, 封啓。

〔**狀啓**〕

本府再次祈雨祭, 今十八日設行計料之由, 已爲馳啟*爲白有在*果, 卽接本府判官金漢淳牒呈, 則"當日虔誠設行於光敎山"*是如爲白有等以*, 祭官職、姓名, 開錄于左*爲白乎旀*, 三次祈雨祭, 以今二十一日設行於府內龍淵計料, 緣由馳啟*爲白臥乎事*。

同日。

農形狀啟。

〔**狀啓**〕

卽接本府判官金漢淳牒呈, 則"境內農形, 秋麰向黃, 春麰入實, 而惱旱、惱風, 間多白颯, 早稻付種, 及晩稻乾播, 初除草方張, 而亦以久旱土塥, 往往中撤, 有水根洞沓, 間多移秧, 而漸就枯黃, 水根不足處, 在在乾涸, 翻耕無術"*是如爲白有臥乎所*。秧節漸晩, 一沛尙悶, 目下民事, 轉益遑悶, 際此沛然, 方切顒祝, 緣由馳啟*爲白臥乎事*。

同日。

出往瀋川所及西將臺, 看審役處。

十九日。

本府還餉及五邑所在南漢餉租加分事, 封啓。

〔狀啓〕

卽接本府判官金漢淳牒呈, 則“以爲會付還餉, 自來不敷, 雖在常年, 每請加分*是在如中*。今年*段*, 荐歉之餘, 停捧旣多, 窮春以來, 還戶倍蓰, 況今兩麥, 未免失稔, 農節民情, 轉益悶然, 雖略綽分給, 無以排繼還餉, 留庫條中, 租二千五百十石, 米一千六十五石, 太一千五百二十八石, 特請加分”*亦爲白乎旀*。

連接屬邑安山郡守李俊秀、龍仁縣令李鍾允、振威縣令朴長馣、始興縣令李鳴遠、果川縣監鄭晩敎所報, 則“邑還尠少, 排巡無路, 目下事勢, 俱極渴悶, 本府小管, 南漢餉租, 留庫條中, 安山二百石, 龍仁一千石, 振威一千六百石, 始興五百九十石, 果川五百五十七石, 依已例加分事, 報來”*是白乎所*。還餉法意, 非不嚴重, 而災民艱食, 誠如邑報, 今若徒守經法, 不思變通, 則有非恤民補助之道*是白乎等以*, 玆敢據實登聞*爲白去乎*。

本府還餉留庫中條中, 租、米、太合五千一百三石及五邑所在餉租中三千九百四十七石, 特許加分事, 令廟堂稟旨分付*爲白只爲*。

同日。

顯隆園忌晨祭享, 奉審閣臣金臺興根入府, 直抵壯南軒, 少話。

二十日。

華寧殿日次奉審。

同日。

以顯隆園祭享, 獻官陪香祝, 詣園所。

二十一日。

祭享設行事, 封啓。

〔啓本〕

謹啓爲祭享事。

今月二十日, 行顯隆園忌晨祭享, 臣以獻官進參設行後, 園上奉審, 雜草雜木無乎*是白遣*, 四山之內, 亦無樹木犯斫之弊*是白乎旀*。祭官職姓名, 開錄于後, 緣由馳啟*爲白臥乎事*。

同日。

朝往見奉審閣臣, 仍爲敍別。

同日。

三次祈雨祭設行事, 封啓。

〔狀啓〕

本府三次祈雨祭, 今二十一日設行計料之由, 已爲馳啟*爲白有在果*, 臣與判官, 俱以顯隆園忌晨祭享相値, 不得去行*乙仍于*, 使迎華道察訪吳致健, 誠設行於府內龍淵後, 祭官職姓名, 開錄于左*爲白乎旀*, 四次祈雨祭. 以今二十四日, 設行於府內八達山計料, 緣由馳啟*爲白臥乎事*。

同日。

四次祈雨祭躬行事, 發甘判官。

〔甘結〕

今二十四日, 行四次祈雨祭, 營門當躬行於八達山, 祭物、祭品務從精備, 下隷衣服, 亦令澣濯, 祭壇與道路*段置*, 各別修治, 俾無一毫不誠之地, 宜當*向事*。

同日。

西將臺及西舖樓、華陽樓修改之役, 至是日告訖【三處容入物力合爲一百二十七兩四戔】。

二十二日。

還餉加分準劃事, 籌關來到。

〔籌關〕

"卽見水原留守徐有榘[2]狀啓, 則'以爲會付還餉, 自來不敷, 排巡難繼, 況今兩麥, 未免失稔, 農節民情, 轉益遑汲, 本府還餉租、米、太合五千一百三石, 屬邑餉租三千九百四十七石, 特許加分事, 請令廟堂稟旨分付矣'。分留法意, 雖甚不輕, 元還不敷, 農糧難繼, 歉餘民情, 在所當念, 所請數爻, 視近例不甚過多, 依狀請許令加分, 何如? 答曰 : '允事' 傳敎*敎是置*, 傳敎內辭意, 奉審施行"*向事*。

二十三日。

製祈雨祭祝文, 齎香詣八達山。

〔祝文〕

嗚呼! 何辜, 邦畿之甿,

2 有榘 : 저본에는 有榘 두 자가 삭제되어 있다. 《備邊司謄錄》 225冊 憲宗 三年에 의거하여 보충하였다.

頻年備無，恥罍罄瓶，

杼柚俱空，鄺閭咿嚶。

尙冀今玆，窮變而亨，

云胡亢陽，奄迫初庚。

川斷而涸，土皹而赬，

士嗟于途，農撤其耕。

如焚如惔，憂心煩酲，

徂社徂郊，靡愛斯牲，

凄風杲日，漠不余聽。

我尹玆土，神尸玆城，

民之殿屎，神恫我怔。

陟彼崔嵬，潔我粢盛，

以妥以侑，更祈冥應，

祁祁其興，濛濛其零。

膏我荏菽，勃我稻秔，

千斯萬斯，百室其盈。

曷不報謝，神賜孔明。

同日。

四次祈雨祭設行事，封啓。

〔狀啓〕

本府三次祈雨祭，今二十四日設行計料之由，已爲馳啓*爲白有在果*，臣於當日，虔誠設行於八達山後，祭官職姓名，開錄于左*爲白乎旀*。五次祈雨祭，以今二十七日，設行於府內八祝萬堤計料，緣由馳啓*爲白臥乎事*。

同日。

東將臺修改始役。

二十五日。

華寧殿日次奉審。

二十六日。

雨澤封啓

〔狀啓〕

卽接本府判官金漢淳牒呈, 則"今月二十六日巳時量始雨, 或灑或霈, 當日卯時至, 所得洽過爲一犂"*是如爲白乎旀*, 臣營測雨器水深, 爲一寸五分*是白乎旀*, 渴望之餘, 甘澍伊始, 誠爲萬幸, 見今油雲密布, 灑霔不止, 而積嘆燥土, 霑漑未洽。故五次祈雨祭, 齋誠虔禱, 期於愜望*是白乎旀*, 始雨形止, 爲先馳啟*爲白臥乎事*。

同日。

製祈雨祭祝文, 齎香詣祝萬堤。

〔祝文〕

堤名"祝萬", 云何之祝,

萬億及秭, 禾、麻、穜稑。

維此堤工, 粤在協洽,

漑灩千頃, 節以一閘。

坪曰大有, 渠云萬石,

於乎可忘, 先王肇錫,

遺老擊壤, 今三紀歷。

胡玆驕揚陽 流金爍礫,

相彼原隰, 旣皸而瘃。

中田有苗, 如髮曲跼,

跨春徂署, 蘊隆熇熇。

神尸玆陂, 秩居嶽瀆,

民之近止, 亦神之悳。

維昨潺湲, 若焦于沃,

仍以滂沱, 神惠是卒。

雨師、風伯, 陰驅顯率,

濺泥一尺, 作霖三日,

以灌以漑, 澤此南國,

黍稷薿薿, 時萬時億。

顧名思義, 毋曠厥職,

同我衿紳, 來禱來索,

如響斯應, 庶不終夕。

二十七日。

五次祈雨祭設行事, 封啓。

〔狀啓〕

本府五次祈雨祭, 今二十七日設行計料之由, 已爲馳啟*爲白有在果*, 臣於當日, 虔誠設行於祝萬堤後, 祭官職姓名, 開錄于左*爲白乎旀*。卽接本府判官金漢淳牒呈, 則“昨日卯時至, 得雨一犁之後, 或霏灑或滂沱, 當日卯時至, 所得又爲一犁餘”*是如爲白乎旀*。臣營測雨器水深, 爲一寸五分*是白乎旀*, 通計前後, 合爲三寸*是白如乎*, 見今油雲四集, 雨意向濃, 六次祈雨祭*段*, 更觀嗣後所得之多寡, 各面農形之如何, 停止與仍設間, 鱗次登聞計料, 緣由馳啟*爲白臥乎事*。

同日。

農務勸相之方, 申飭各面之意, 發甘判官。

〔甘結〕

右甘爲昨今所得雨澤, 雖未可謂高低周洽是乃, 抵田之引水移揷, 高田之破塊種植, 當如救焚拯溺, 爭以時刻*是如乎*。此時補助勸相之節, 不可不十分留意, 當日內傳令各面, 申飭任掌, 周行阡陌, 着實勸督, 無牛者借牛, 乏糧者貰力, 期盡及時奏功, 毋至放失一勺之水*爲乎矣*。數日內分送摘奸計料*是在果*, 雖一畦一壟是*良置*, 如有可移而未移, 可種而不種處, 則當該面里任, 斷當施以"違令慢蹇之罰", 以此意措辭嚴飭, 形止, 亦卽牒報*向事*。

同日。

東將臺修改畢役【容入物力爲三十二兩九戔八分】。

二十九日。

數昨犁雨終優洽, 今朝重霧解駁, 頗有霽意, 憂悶轉甚, 將欲復薦圭璧矣, 自午後, 始焉霏微, 晚益霆霈, 快愜渴望少紓, 民情公私之幸, 無以名言。

三十日。

封雨澤、農形啓。

〔狀啓〕

今月二十七日至, 得雨三寸之由, 前已爲馳啟*爲白有在果*, 卽接本府判官金漢淳牒呈, 則"伊後或霏或止, 乍陰乍陽*是如可*, 二十九日卯時量, 更爲始雨, 仍以霪霈, 當日卯時至, 川渠漲滿, 而霏灑不已, 尙無霽意*是如爲白遣*, 臣營測雨器水深, 爲五寸八分*是白乎旀*。

各面農形, 分送裨、校, 看審以來, 則"秋麰之入實向黃者, 已盡登場, 春麰間間刈取, 早稻付種, 再除草方始, 晩稻乾播, 初除草方張, 而兩次沾潤之後, 擧皆勃然茁長, 根耕豆太今始耕播, 移秧*段*, 低下處已移者, 一倍向茂, 高燥地未移者, 次第移揷"*是如是白如乎*。日前犁雨 猶未浹洽, 顒祝方切, 甘霈繼降, 毋論高低, 灌漑優足, 言念民事, 誠極萬幸, 見今秧節晼晩, 趁澤時急*是白乎等以*. 勸相補助之方, 發甘申飭於判官處*爲白乎旀*, 祈雨祭*段*, 停止, 緣由馳啟*爲白臥乎事*。

정유년丁酉年 1837년, 헌종憲宗 3년 6월

初一日。

開東詣客舍, 行望闕禮, 中軍、判官進參。

同日。

華寧殿焚香奉審後, 封啓。

〔狀啓〕

臣於今日, 華寧殿焚香後, 仍爲奉審, 則殿內諸處無頉*是白乎旀*, 卽接顯隆園令李民耆牒呈, 則"今日園上、殿內奉審無頉"*是如爲白有等以*, 緣由馳啟*爲白臥乎事*。

初三日。

雨澤封啓。

〔狀啓〕

去月三十日卯時至, 得雨五寸八分之由, 前已爲馳啟*爲白有在果*, 續卽接本府判官金漢淳牒呈, 則"伊後或霏灑或霔霈, 今初二日酉時至, 所得不可以鋤犁論, 而大小川渠, 無不漲滿"*是如是白如乎*, 臣營測雨器水深, 又爲八寸八分, 通計前後, 合爲一尺四寸六分, 而初三日卯時量, 仍爲開霽*是白乎等以*, 緣由馳啟*爲白臥乎事*。

初五日。

華寧殿日次奉審。

同日。

各面勸農之意, 發甘判官。

〔甘結〕

右甘爲勸課農桑, 卽營門之平日, 苦心所在*是在如中*, 跨春涉夏, 雨澤慳悶, 漑種之秧, 蕭然可焚, 陸耕之田, 鎡基不入, 閱月薰厲, 肝肺欲焦*是加尼*, 幸於晦初之間, 優得過尺之雨, 高田低田, 無不周洽, 言念民情, 豈勝萬幸。秧節差晚, 趨澤時急. 勸相補助之方, 不可一刻虛徐*是如乎果*, 依日前甘辭, 別樣申飭*是喩*, 初欲分送褊裨, 逐面摘奸*是加尼*, 官人之多日, 逗留於外村, 亦不無些少貽弊之慮*乙仍于*, 姑且停止*是乃*, 此等申飭, 決不可以一張傳令, 備例知委而止*是置*, 各倉監色, 方以糶還捧上, 出去各面各該倉所屬, 各面勸農監色差定*爲去乎*, 限糶還畢捧前, 各別董飭, 無牛備牛, 乏糧助糧, 俾無把束未移之慮*爲乎矣*。其中或有因病廢農者*是去等*, 該里頭頭人處, 各別飭諭, 使之合力移秧, 待秋成受雇*爲旀*, 畢移狀, 今月望內, 鱗次報來, 則趁農務少歇之時, 始爲分送, 摘奸計料*爲去乎*, 雖一畦一壟*是良置*, 萬一有陳廢不墾, 而昧然以已移報來者, 則該面監色, 嚴刑汰去, 斷不饒貸, 以此意嚴明措辭知委, 宜當*向事*。

初六日。

離發中火于始興, 申刻抵筆谷封啓。

〔狀啓〕

臣有廟堂稟議事, 當日發行上京, 緣由馳啓*爲白臥乎事*。

初八日。

進實錄廳。

初九日。

進實錄廳。

初十日。

進講入侍。

同日。

封雨澤、農形啓。

〔**狀啓**〕

卽接本府判官金漢淳牒呈, 則"今月初八日申時量始雨, 或霏或灑或止, 初九日寅時至, 所得幾近一鋤, 而營下測雨器水深, 爲四分*是乎旀*。境內農形*段*, 秋麰方張刈取, 早稻付種, 再除草方張, 晩稻乾播, 初除草方始, 高燥地未移者, 今方移揷, 根耕豆太方張耕播"*是如爲白有等以*, 緣由馳啓*爲白臥乎事*。

十二日。

進實錄廳。

同日。

本營春、夏等褒貶封進, 以果川縣監鄭晩敎相避, 不得考績事, 別啓。

〔褒貶等第〕

○ 華寧殿兼令金漢淳【敬謹以將, 上】。

○ 兼衛將朴蓍會【殫誠衛護, 上】。

○ 兼守門將金遠浩【奉職恪謹, 上】。

○ 兼守門將徐鎬豊【守鑰有謹, 上】。

○ 判官金漢淳【一念圖酬, 隨事殫竭, 上】。

○ 中軍朴蓍會【簡不至弛, 綜不過刻, 上】。

○ 從事官金漢淳【吏治、戎政, 相須相濟, 上】。

○ 檢律卞學秀【律例頗嫻, 上】。

○ 別前司把摠振威縣令朴長馣【催科宜勉, 上】。

○ 別左司把摠龍仁縣令李鍾允【初政修擧, 上】。

○ 別中司把摠金魯學【一何沈屈, 上】。

○ 別右司把摠安山郡守李俊秀【軍民無怨, 上】。

○ 協守兼把摠始興縣令李鳴遠【久益播譽, 上】。

○ 斥堠將迎華道察訪吳致健【材優字牧, 上】。

○ 禿城兼把摠朴蓍會【糴精糶均, 上】。

○ 屯牙兵把摠平薪鎭僉使朴允默【稅納不愆, 上】。

〔狀啓〕

臣營屬別五司把摠中, 別後司把摠果川縣監鄭晩教, 與臣爲舅甥之親, 故褒貶時, 不得一體磨勘之意, 前已別啓陳聞*爲白有在果*, 今春夏等褒貶*段置*, 不得循例磨勘*是白乎等以*, 緣由馳啟*爲白臥乎事*。

十三日。

進實錄廳。

十四日。

雨澤封啓。

〔狀啓〕

今月初九日寅時至, 得雨四分之由, 已爲馳啟*爲白有在果*, 卽接本府判官金漢淳牒呈, 則“伊後或陰或陽, 間或霔霈, 十三日卯時至, 所得又爲一犁餘, 而濃雲未解, 尙無霽意, 營下測雨器水深, 爲一寸五分”*是如爲白有等以*, 緣由馳啟*爲白臥乎事*。

同日。

進實錄廳。

十五日。

進實錄廳。

同日。

華寧殿奉審無頉事, 封啓。

〔狀啓〕

卽接華寧殿兼領金漢淳牒呈, 則“今月十五日焚香後, 仍爲奉審, 則殿內諸處無頉”*是如爲白乎旀*。同時到付顯隆園令李民耉牒呈內, “今月十五日, 園上、殿內奉審無頉”*是如爲白有等以*, 緣由馳啟*爲白臥乎事*。

十六日。

進實錄廳。

二十日。

農形封啓。

〔狀啓〕

卽接本府判官金漢淳牒呈, 則"境內農形*段*, 早稻付種, 再除草已畢, 晩稻乾播, 再除草方張, 早移秧, 初除草方始, 晩移秧已畢, 根耕豆太, 幾盡耕播"*是如爲白有等以*, 緣由馳啟*爲白臥乎事*。

同日。

進實錄廳。

二十一日。

進實錄廳。

二十二日。

進實錄廳。

二十四日。

進實錄廳。

二十五日。

進實錄廳。

二十六日。

進實錄廳。

二十七日。

進實錄廳。

二十八日。

進實錄廳。

二十九日。

進實錄廳。

정유년丁酉年 1837년, 헌종憲宗 3년 7월

七月初一日。

華寧殿、顯隆園奉審無頉事, 封啓。

〔狀啓〕

卽接華寧殿兼領金漢淳牒呈, 則"今月初一日焚香後, 仍爲奉審, 則殿內諸處無頉"*是如爲白乎旀*。同時*到付*顯隆園參奉趙秉綽牒呈內, "今月初一日, 園上、殿內奉審無頉"*是如爲白有等以*, 緣由馳啟*爲白臥乎事*。

同日。

農形狀啓後, 出往樊溪。

〔狀啓〕

卽接本府判官金漢淳牒呈, 則"境內農形, 早稻付種, 三除草方張, 晩稻乾播, 再除草已畢, 移秧初除草已畢, 根耕豆太立苗"*是如爲白有等以*, 緣由馳啟*爲白臥乎事*。

初六日。

自樊溪還筆谷。

初七日。

過行庶侄婚事。

十一日。

雨澤及農形封啓, 仍進實錄廳。

〔狀啓〕

卽接本府判官金漢淳牒呈, 則“今月初九日卯時量始雨, 或霏或霔, 初十日卯時至, 所得恪二犂, 而營下測雨器水深, 爲二寸四分*是乎旀*。境內農形*段*, 早稻付種, 方張胚胎, 晩稻乾播, 三除草已畢, 根耕豆太, 鋤役方張”*是如爲白有等以*, 緣由馳啓*爲白臥乎事*。

十二日。

進實錄廳。

十三日。

大殿誕辰陳賀箋文一度, 封送畿營, 仍進實錄廳。

〔箋文〕

伏以萬億年無疆, 誕膺川至之祿, 五百運有作, 聿回虹流之期, 慶溢寰區, 歡均蹈抃。恭惟天縱大德, 日新聖工, 聰明叡智之姿, 冠百王而卓越, 中和位育之化, 囿庶彙而裁成, 肆當千秋之節回, 益仰百福之鼎至。

伏念臣跡厠華封, 誠切嵩呼, 瓊樓昵陪, 幸叨虎拜之列, 瑤函擎進, 誠粗殫於抃鰲, 臣無任望天仰聖, 激切屛營之至。

十四日。

進實錄廳。

十五日。

大殿誕辰陳賀箋文, 一度奉進奎章閣, 仍進實錄廳。

〔箋文〕

伏以琁極衍休, 誕啓泰亨之運, 金鑑進頌, 載回震夙之期, 八千爲春, 五百生聖。恭惟丕膺駿命, 祇紹燕謀, 三晝軫咨訪之衷, 學懋就日, 兩殿奉怡愉之樂, 孝光出天, 玆回北樞電繞之辰, 益仰南極星曜之瑞。伏念臣職忝華封, 聖切葵傾, 銘鏤洪恩, 縱未酬於涓埃塵刹, 遭逢聖節, 粗獻祝於松柏、岡陵, 臣無任望天仰聖, 激切屛營之至。

同日。

華寧殿、顯隆園奉審無頉事, 封啓。

〔狀啓〕

卽接華寧殿兼領金漢淳牒呈, 則"今月十五日焚香後, 仍爲奉審, 則殿內諸處無頉"*是如爲白乎旀*。同時到付顯隆園參奉趙秉緯牒呈內, "今月初一日, 園上、殿內奉審無頉"*是如爲白有等以*, 緣由馳啟*爲白臥乎事*。

十六日。

雨澤封啓。

〔狀啓〕

卽接本府判官金漢淳牒呈, 則"今月十四日戌時量始雨, 或霪或灑, 十五日卯時至, 所得怡爲二鋤, 而營下測雨器水深, 爲九分"*是如爲白有等以*, 緣由馳啟*爲白臥乎事*。

十八日。

大殿誕辰，問安班進參。

十九日。

進實錄廳。

同日。

雨澤封啓

〔**狀啓**〕

今月十五九日卯時至，得雨九分之由，已爲馳啓*爲白有在果*，卽接本府判官金漢淳牒呈，則"伊後或陰或陽，或灑或霔，十八日申時至，所得幾爲三犁，而營下測雨器水深，爲三寸七分"*是如爲白有等以*，緣由馳啓*爲白臥乎事*。

二十日。

實錄廳。

二十一日。

列聖誌狀有續印之役，而監印閣臣受點，是日會同進內閣，仍進實錄廳。

二十二日。

農形封啓

〔狀啓〕

卽接本府判官金漢淳牒呈, 則"境內農形, 早稻付種, 方張發穗, 晩稻乾播, 間或胚胎, 移秧三除草已畢, 根耕豆太鋤役已畢"*是如爲白有等以*, 緣由馳啓*爲白臥乎事*。

二十五日。

進實錄廳, 午後進內閣, 校準誌狀。

二十六日。

進實錄廳。

二十八日。

雨澤封啓。

〔狀啓〕

卽接本府判官金漢淳牒呈, 則"今月二十五日亥時量始雨, 或灑或霔, 二十七日卯時至, 所得不可以鋤犁論, 而大小川渠, 無不漲滿, 營下測雨器水深, 爲七寸七分"*是如爲白臥乎所*, 各穀發穗之際, 有此近尺之雨, 不無痒稼之慮*是白如乎*, 各面農形, 汰落有無, 這這探報事, 申飭判官處*爲白乎旀*, 緣由馳啓*爲白臥乎事*。

二十九日。

雨澤及祝萬堤西水門潰決事封啓, 仍進實錄廳。

〔狀啓〕

今月二十七日卯時至, 得雨七寸七分之由, 已爲馳啓*爲白有在果*, 卽接本府判官金漢淳牒呈, 則"伊後連爲霔下, 所得營下測雨器水深, 又添一寸二分, 通計前後, 恰爲八寸九分, 二十八日寅時量, 始爲開霽是乎所。

近尺之雨, 一時暴霔, 祝萬堤西水門兩邊內, 托爲漲水所衝嚙, 漸就剝落, 防遏無路, 水門左右潰決之體垌, 假量十餘把*是乎旀*, 垌底田畓*段*, 水門下水道, 本自深濶*乙仍于*, 雖於潰決之後, 水從舊水道直下, 堤底田畓之浸損汰覆, 不至夥多"*是如爲白乎所*。發甘知委於判官, 及中軍處, 潰決堤垌, 趁卽急速補築, 俾爲及今貯水池之地*爲白乎旀*, 緣由馳啟*爲白臥乎事*。

三十日。

進實錄廳。

정유년丁酉年 1837년, 헌종憲宗 3년 8월

八月初一日。

進實錄廳。

同日。

華寧殿、顯隆園奉審無頉事, 封啓。

〔狀啓〕

卽接華寧殿兼領金漢淳牒呈, 則"今月初一日焚香後, 仍爲奉審, 則殿內諸處無頉"*是如爲白乎旀*。同時到付顯隆園參奉趙秉緯牒呈內, "今月初一日, 園上、殿內奉審無頉"*是如爲白有等以*, 緣由馳啟*爲白臥乎事*。

初二日。

農形封啓, 仍進實錄廳。

〔狀啓〕

卽接本府判官金漢淳牒呈, 則"日前大雨後, 傍川低下之田, 不無略干侵損處, 而開霽水退後, 各穀旋卽蘇醒*是乎遣*, 早稻付種向黃, 晚稻乾播發穗, 移秧胚胎, 根耕豆太起花"*是如爲白有等以*, 緣由馳啟*爲白臥乎事*。

初三日。

濟州牧歲貢馬中十匹, 依定式執留事, 封啓, 仍進實錄廳。

〔狀啓〕

臣營別驍士所受馬, 限滿致斃者, 依司僕寺回啓定式, 今來濟州牧歲貢馬中, 執留十四*是白遣*, 同馬匹數爻, 及禾毛色成冊修送于該寺*爲白乎旀*, 緣由馳啟*爲白臥乎事*。

初四日。

進內閣, 校準誌狀, 仍進實錄廳。

初五日。

進實錄廳。

初六日。

進實錄廳。

同日。

祝萬堤潰決處補築始役事, 報牒來到。

〔中軍報牒〕

祝萬堤西水門潰決處補築之役, 以今初六日爲始, 緣由馳啟*爲白臥乎事*。

初七日。

列聖誌狀開印, 進內閣。

初九日。

秋夕享役在邇, 將發還營之行, 故昨日未進內閣矣, 諸僚或以式暇或因病故, 昨無進院之員, 慈教荐降命, 委折知入。余以公役, 將發還營,雖非無故不進, 而惶悚之蹤, 與諸僚無異, 馳進內閣, 晩後退歸私次。慈教隨下, 有昨日未進閣臣下隷, 幷令兵曹決棍之命, 惶蹙震剝, 與諸僚往復, 相議將聯陳惶悉之忱, 仰請譴何矣, 夜深後, 有俄下處分, 還收之命。

初十日。

進內閣監印。

十一日。

以享役之迫近, 不得不離發, 中火于果川, 申刻抵營封啓。

〔狀啓〕

臣有廟堂稟議事, 上京*爲白有如可*, 當日還營, 緣由馳啟*爲白臥乎事*。

十二日。

出往祝萬堤, 看審補築形便。

十三日。

農形封啓。

〔狀啓〕

卽接本府判官金漢淳牒呈, 則"境內農形, 早稻方張刈取, 晩稻乾播, 及早移秧已盡發穗, 晩移秧間間發穗, 根耕豆太結顆"*是如爲白有等以*, 緣由馳啟*爲白臥乎事*。

同日。

健陵秋夕祭享, 獻官李臺魯集下來。

十四日。

以顯隆園秋夕祭享, 獻官陪香祝, 詣園所。

十五日。

祭享設行後, 封啓, 健陵獻官入府, 旋發。

〔**啓本**〕

謹啓爲祭享事。

今月十五日, 行顯隆園秋夕祭享, 臣以獻官進參設行後, 園上奉審, 雜草雜木無乎*是白遣*, 四山之內, 亦無樹木犯斫之弊*是白乎旀*。祭官職姓名, 開錄于後, 緣由馳啟*爲白臥乎事*。

同日。

開東詣客舍, 行望闕禮, 判官、中軍進參。

同日。

陵、園所秋大奉審後, 封啓。

〔**啓本**〕

謹啓爲奉審事。

臣於本月十五日, 健陵陵上、丁字閣、碑閣以下諸處, 顯隆園園上、丁字閣、碑閣以下諸處奉審後, 有頉處及祭器、雜物破傷者, 謹依筵稟新定式, 幷自臣營筦千庫, 從便修改*是白遣*, 樹木*段*, 火巢闊遠, 不能一一摘奸, 而這這巡審, 俾無犯斫之弊事, 另加申飭於陵園官處*爲白乎旀*。萬年堤垌內一體看審, 則俱爲無頉*是白遣*, 鷺峰浮石所, 發遣徧裨摘奸, 則"封標內, 亦無頉處"*是白乎等以*, 緣由馳啟*爲白臥乎事*。

同日。

華寧殿秋大奉審後, 封啓。

〔**狀啓**〕

華寧殿秋孟朔大奉審元定*是白在*, 去月十五日, 當爲擧行, 而臣在京未還, 不得擧行*是白遣*。今月十五日, 焚香後, 與兼令臣金漢淳、兼衛將臣朴著會, 眼同奉審*是白乎*, 則殿內諸處, 俱爲無頉*是白乎等以*, 緣由馳啟*爲白臥乎事*。

十九日。

出往祝萬堤役所, 饋餉牌將及役夫等。

二十日。

華寧殿日次奉審。

二十一日。

自營離發, 中火于始興, 申刻抵筆谷, 封啓。

〔**狀啓**〕

臣有廟堂稟議事, 當日發行上京, 緣由馳啟*爲白臥乎事*。

二十三日。

進內閣監印, 仍進實錄廳。

二十四日。

農形封啓, 仍進實錄廳。

〔狀啓〕

卽接本府判官金漢淳牒呈, 則"境內農形, 早稻已盡刈取, 晩稻乾播, 及早移秧向黃, 晩移秧已盡發穗, 根耕豆太入實"*是如爲白有等以*, 緣由馳啓*爲白臥乎事*。

二十六日。

進實錄廳。

二十七日。

列聖誌狀畢印, 是日進書于仁政殿時進參, 仍進實錄廳。

二十八日。

內賜列聖誌狀一件祗受。

傳曰 : "列聖誌狀, 奉謨堂三件, 宙合樓、內閣、外奎章閣、五處史庫、西庫、弘文館、藏書閣, 各一件奉安。奉朝賀南公轍, 領府事李相璜, 判府事沈象奎, 右議政朴宗薰, 提學趙寅永, 原任提學鄭元容, 提學徐有榘, 原任直提學金鑣, 檢校直提學徐熹淳, 原任直提學鄭基善、朴綺壽, 直提學朴永元, 原任直閣徐俊輔、李光文、李嘉愚、金邁淳、李景在、金鼎集、吳取善, 檢校直閣李公翼, 直閣鄭宬朝, 原任待敎李憲瑋、金正喜、金英淳, 檢校待教金興根、趙斗淳、金學性、金洙根, 待教金英根, 行都承旨金道喜, 左副承旨李寅皐, 右副承旨尹致定, 同副承旨宋應龍, 注書尹教成、兪致榮, 別兼春秋申錫愚, 檢閱曺錫雨, 應教李是遠, 副應教徐元淳, 校理李埈、任百經, 副校理李魯確、曺雲承, 修撰南獻教、金在根, 副修撰朴來華, 各一件賜給。"

二十九日。

大殿、中宮殿、太廟展謁, 景慕宮、景祐宮展拜時, 陪從, 還宮後, 問安班進參。

三十日。

以列聖誌狀監董閣臣內下豹皮一令祗受。

傳曰:"列聖誌狀監董閣臣以下別單, 書入," 又傳曰:"提學趙寅永、徐有榘, 檢校直提學徐熹淳, 各內下豹皮一令賜給。直提學朴永元, 檢校待教金興根、趙斗淳, 各內下虎皮一令賜給。檢校直閣李公翼, 直閣鄭宖朝, 檢校待教金學性、金洙根, 待教金英根, 各內下鹿皮一令賜給。檢書官安季良、金鳳敍、金箕淳、姜溍, 各內下帿弓一張賜給。員役等竝令該曹從厚分等施賞, 唱準、計士、寫字官、工匠等, 自本閣考例, 令該曹從厚分等施賞, 進上時員役等, 竝令該曹分等施賞。"

정유년丁酉年 1837년, 헌종憲宗 3년 9월

九月初一日。

華寧殿、顯隆園奉審無頉事, 封啓。

〔狀啓〕

卽接華寧殿兼衛將朴著會牒呈, 則"今月初一日焚香後, 仍爲奉審, 則殿內諸處無頉"*是如爲白乎旀*。同時到付顯隆園參奉李克聲牒呈內, "今月初一日, 園上、殿內奉審無頉"*是如爲白有等以*, 緣由馳啓*爲白臥乎事*。

初三日。

進實錄廳。

初四日。

進實錄廳。

初五日。

農形及各面海溢事, 封啓, 仍進實錄廳。

〔狀啓〕

卽接本府判官金漢淳牒呈, 則"境內農形, 晩稻乾播, 及早移秧, 間或刈取, 晩移秧已盡向黃, 根耕豆太向黃*是乎旀*。去月十七日, 獰風大作, 本府沿海各面, 多有海溢之患*乙仍于*, 分遣將吏, 使之摘奸, 則松洞、梧井、廣德、佳士、玄巖、浦內、長安、雨正、鴨汀、草長、青龍、宿城、宗德、水北、五朶等十五面, 俱以濱海之面, 被災沓庶, 爲九十餘結"*是如爲白有臥乎所*。海溢形止, 雖不至如丁卯、乙未兩年之大段傷損, 而當此各穀登熟之時, 海曲農戶之遇此獨歉, 誠切矜悶*是白如乎*, 逐廛詳查, 從實給災。堰畓潰缺處*段*, 使該里合力修築, 俾不至永陳之地事, 另加申飭於本府判官處*爲白乎旀*, 緣由馳啟*爲白臥乎事*。

初六日。

進實錄廳。

初七日。

進實錄廳。

初八日。

進實錄廳。

初九日。

豊淳自樊里搬移于黃橋新定之家, 是日出往東大門外, 陪來祠宇, 奉安行茶禮。

初十日。

進實錄廳。

同日。

本府所管各道穀耗不足及蕩債給代米劃給事, 籌司關文來到。

〔關文〕

備邊司爲相考事。

“節啓下敎司啓辭, ‘水原句管各道穀見縮條, 今年耗米一千二百二十五石零, 蕩債給代米六百石, 自該府報請給代矣。支放不足耗之從他代劃, 便成年例, 以嶺南所在本司句管各名穀會錄耗及加分耗中, 折米劃給, 使之取用, 何如, 答曰, ‘允事’傳敎敎是置。傳敎內事意, 奉審施行”向事。

十二日。

大殿詣仁政殿迎勅時, 從陞, 還內後, 問安班進參。

十四日。

頒赦文祗受, 形止封啓。

〔赦文〕

王若曰：大昏迓百福之原, 黃裳叶吉, 中朝頒九章之服, 丹闈疏封, 式表同歡, 庸伸敷告。念眇躬叨承鴻緖, 猗賢匹肇御翟褕, 紹列祖啓後之基, 王道造端於夫婦, 奉太母迎相之命, 天德作合於乾坤, 六宮之嘉頌載颺。珩珮守訓, 七廟之明禋, 共薦蘋繁齎誠, 闡周家二南之休擧。幸齊體而儷極, 倣漢室長秋之制, 允宜備物而正名。肆專价啓陳奏之行, 而皇旨企許準之典, 靑邱修執壤之禮, 庶有願而必從, 紫庭[3]邀錫冊之恩, 寔靡情而不籲。

迨玆銜命之使纔返, 儼然宣誥之勅遄臨, 星槎馳析木之躔, 恩出同慶, 繢總備珠軒之飾, 寵紆匪頒。啓芝泥而駿命賁天, 擎琅函而龍

3 庭: 저본에는 廷. 《승정원일기》《承政院日記》 2346冊 憲宗 3年 9月 14日 丁酉 기사에 의거하여 수정하였다.

光燭地，欣壼位之新莅，縟儀旣成於冕迎，荷皇靈之遠敷，顯號克定於璽諭，歡溢環域，賀騰芹庭。琴瑟諧音，正屬六禮之飾喜，雷雨解澤，宜有八方之覃恩。

自本月十二日昧爽以前，除謀反·大逆謀叛、子孫謀殺毆罵祖父母·父母、妻妾謀殺夫、奴婢謀殺主、謀故殺人、魘魅蠱毒、關係國家綱常、贓汚强·竊盜、雜犯死罪外，徒流以下付處、安置、充軍，已至配所，未至配所，已發覺未發覺，已決正未決正，咸宥除之，敢以宥旨前事相告言者，以其罪罪之，在官者各加一資，資窮者代加。於戲！廣陰於紘綖，贊宸極初[4]元之治，鞏邦基於瓜瓞，衍本支百世之祺。故玆敎示，想宜知悉。

〔狀啓〕

卽接本府判官金漢淳牒呈，則"頒賜文一度，今月十三日酉時量，武兼高慶赫賫來*乙仍于*，依禮文祇受，頒布"*是如爲白有等以*，緣由馳啟*爲白臥乎事*。

十五日。

華寧殿、顯隆園奉審無頉事，封啓後，出樊溪，仍留自然經室。

〔狀啓〕

卽接華寧殿兼令金漢淳牒呈，則"今月十五日焚香後，仍爲奉審，則殿內諸處無頉"*是如爲白乎旀*。同時到付顯隆園參奉李克聲牒呈內，"今月初一日，園上、殿內奉審無頉"*是如爲白有等以*，緣由馳啟*爲白臥乎事*。

4 初 : 저본에는 祄. 앞의 책 앞의 기사에 의거하여 수정하였다.

十六日。

夕還筆谷。

十八日。

離發中火于果川, 申刻抵營, 封啓。

〔狀啓〕

臣有廟堂稟議事, 上京*爲白有如可*, 當日還營, 緣由馳啟*爲白臥乎事*。

十九日。

霜降封啓。

〔狀啓〕

卽接本府判官金漢淳牒呈, 則"今月十八日, 曉霜降"*是如爲白有等以*, 緣由馳啟*爲白臥乎事*。

同日。

外帑庫封不動一萬兩作穀於兩南事, 報備局。

〔報牒〕

本府外帑庫封不動, 卽今記簿所在爲一萬二千八百餘兩矣。典守之方, 錢不如穀*乙不喩*, 兩南、兩西, 俱有本府句管穀, 今若於外帑錢中一萬兩, 以詳定作穀於外道, 則可得折米三千三百餘石*是如乎*。耗上加耗, 年年滋殖*是乼遣*, 帑庫歲入錢, 爲三千兩*是置*, 次次封樁, 滿四年, 則合爲一萬二千兩, 依右例除出萬兩作穀, 則不出十年, 可得數萬餘石, 此所謂藏鏹千萬 不如銖兩而時入者也。不但在本府大有裨益, 當此穀日縮之時, 數萬石作穀在外道, 亦不害爲得寸亦寸*是乎所*,

司*敎是*參量事勢, 嶺、湖南*良中*, 各一千六百五十石, 式分排作穀, 名以華城外帑穀, 自明年依他例斂散, 取耗於年終元劃穀磨勘時, 一體磨勘於本府, 雖値歉年, 切勿混入, 停減之意, 嚴明定式, 永久遵行事, 發關知委*爲只爲*。

二十日。

華寧殿日次奉審。

同日。

華寧殿監祭閣臣金令學性下來。

二十一日。

奉香詣殿內齋室。

二十二日。

祭享設行後, 封啓, 監祭閣臣, 離發上京。

〔**啓本**[5]〕

謹啓爲祭享事。

今月二十二日, 行華寧殿誕辰祭享, 臣以獻官進參設行後, 諸官職姓名開錄于後, 緣由馳啓*爲白臥乎事*。

5 本: 저본에는 "木". 본문 내용을 참고하여 "本"으로 바로 잡았다.

同日。

監役與宋令莊伯下來。

二十五日。

華寧殿日次奉審。

同日。

出往祝萬堤役所, 饋餉牌將及役夫。

二十六日。

都試設行計料事, 封啓。

〔**狀啓**〕

臣營別驍士及列校今年春、秋兩等都試, 以今二十七日設行計料, 緣由馳啟*爲白臥乎事*。

同日。

祝萬堤畢役報牒, 來到。

〔**中軍報牒**〕

祝萬堤潰缺處, 今二十六一至畢役, 而容入物力, 爲四千八百五十八兩四戔二分, 緣由馳啟*爲白臥乎事*。

二十七日。

年分封啓。

〔狀啓〕

本府穡事形止, 備陳於前後狀聞中*是白有在果*, 本府地形, 濱海跨野, 斥鹵居多, 沃壤甚少, 一有旱澇, 災眚偏甚*是白在如中*, 今年*段*, 春夏暵乾, 原隰如焚, 圭璧屢薦, 民情遑急*是白加尼*。幸於五月晦間, 甘霈始降, 高低周洽, 時則夏至已過, 秧節晼晚, 趨澤之急, 爭以晷刻, 故甘飭判官, 使之多方勸相, 期於次第移揷*是白乎乃*, 其奈秧苗已老, 人力靡逮。加之厲氣熾盛, 廢農者多*是白遣*, 秧功纔畢, 時雨旋閼, 早種者蹲縮而就枯, 晩移者蕭色而不振。兼以愆蠶乍熾, 莖葉多損, 逮夫中庚之後, 有時滋潤, 庶期蘇醒, 而夫何近尺暴雨, 乃在發穗之際, 數日凄風, 又値包穎之後, 種種爲災, 已減幾分*是白乎旀*。沿海各面, 則八日望間, 風潮汎濫, 沈墊之患, 間多有之, 幸賴秋候頗調, 霜信差退, 向所謂蹲縮者, 間抽旁莖, 蕭索者, 亦入半米*是白乎矣*, 及夫滌場, 顆粒零星, 大違始料, 咸稱失稔*是白遣*, 至於田種各穀*段*, 播耘罔愆, 靡不善, 遂此是一境, 農形之大略也。

檢田、俵災, 關係甚重, 毫忽之差, 濫約俱罪, 況如今年, 則名與實乖, 尤當十分審愼, 故另飭判官, 分遣將吏, 逐庫爬櫛*是白乎*。卽今未移、晩移、蟲損等災, 爲四百五十八結三十七負三束, 海溢爲九十四結九十九負, 竝與流來舊初不四百二十四結二十負九束, 通計爲九百七十七結五十五負二束, 較諸地部劃下十五結不足, 爲九百六十二結五十七負二束*是白如乎*。今若徒懷嚴畏, 不以實陳, 致使災民, 或有白徵之寃, 則孤負我聖上如傷若保之盛德至意, 自敢不猥越, 據實登聞*爲白去乎*, 上項不足災九百六十二結五十七負二束, 特許加劃*敎是乎*, 則臣謹當塗抹分俵*是白乎旀*。

仍伏念還餉法意, 非惟嚴重, 嗣歲農糧, 大關民政, 今年當捧條*段*,

期於準捧, 而至於乙未停退條*段*, 專在瀕海各面, 太半流亡, 徒成虛簿, 苟欲一一追督, 勢將徵出於隣里, 而新舊竝督, 竊恐有民穀俱失之慮*是白如乎*, 同停退各穀六千九百七十七石*段*, 限明年許令仍停, 以爲少紓民力之地*爲白乎旀*, 推奴、徵債, 亦係擾民之端, 一切防塞, 恐合便宜, 竝令廟堂稟旨分付*爲白只爲*。

二十八日。

兩南作穀事, 備局回關來到, 文移兩道。

〔籌關〕

*節*啓下*教*, 今九月二十五日, 藥房入診, 大臣、備局堂上引見入侍時, 左議政朴宗薰[6]所啓, "'卽見水原留守徐有榘[7], 報本司辭緣, 則'外帑庫記簿, 所在錢爲一萬二千八百餘兩, 典守之方, 錢不如穀, 除出一萬兩, 以詳定作穀於外道, 則可得折米三千三百餘石, 報本司辭緣, 則外帑庫記簿所在錢爲一萬二千八百餘兩, 典守之方, 錢不如穀, 除出一萬兩, 以詳定作穀於外道, 則可得折米三千三百餘石, 取耗會錄, 而本庫歲入三千兩, 至四年當爲一萬二千兩, 依右例除出添作, 則不出十年, 可得數萬餘石, 在本府大有裨益, 爲先以見在萬兩, 分排於嶺、湖南, 以華城外帑穀作名, 自明年斂散, 取耗與元劃穀同爲磨勘於本府, 雖値歉歲, 勿入停減, 永久遵行', 爲辭矣。添還雖屬難愼, 而兩南旣有本府句管穀, 今以此數, 分排兩道, 則數亦不多, 在本府封椿之政, 誠非少補, 依所報施行, 何如? 大王大妃殿答曰,

---

6 宗薰 : 저본에는 □□. 《비변사등록》《備邊司謄錄》 憲宗 三年 9月 25日 기사에 의거하여 수정하였다.

7 有榘 : 저본에는 □□. 《비변사등록》《備邊司謄錄》 憲宗 三年 9月 25日 기사에 의거하여 수정하였다.

'依爲之'傳敎*敎是置*, 傳敎內事意, 奉審施行爲有衣。"

兩南各一千六百六十石十斗式, 待本府拮据, 卽爲作穀後, 着意斂散, 添耗會錄, 雖値歉年, 切勿停蕩之意, 今方發關*是如乎*, 同錢各五千兩, 亦須從便下送, 無或稽緩, 宜當*向事*。

〔移文〕

則到備邊司關內云云【見上】亦爲有臥乎所, "今此作穀, 實爲峲貨典守之方, 則其所關重, 與他自別, 斂散取耗之節, 自貴道亦當十分着意*是在果*, 貴道作穀條五千兩段事, 當及今下送, 而非但輸送之有弊, 今旣有弊營作錢推來之耗穀, 則就其中相換*除置*, 仍作元穀, 實爲兩營俱便之方*是如乎事*。弊營今年推來耗穀中, 一千六百六十六石十斗穀, 在各邑*良中*, 區別仍置, 名以華城外峲穀, 自明年盡分取耗, 添作元穀*爲乎矣*, 弊營句管穀, 會案修來時, 別立名色, 一體磨勘*爲乎旀*, 形止先卽回移, 以爲憑後之地, 爲宜*向事*。"

二十九日。

都試試取事, 封啓。

〔狀啓〕

臣營別驍士及列校, 今年春、秋兩等都試, 以今二十七日, 設行之由, 已爲馳啟*爲白有在果*, 臣於當日, 與從事官金漢淳、中軍朴著會, 眼同開場, 二十九日至, 連爲試取後, 兩等居首人姓名、年、父、住、矢數, 後錄馳啟*爲白去乎*, 直赴殿試事, 令該曹稟處*爲白乎旀*。

春等, 居二左列別驍士閑良金聲鍾, 居三右列別驍士閑良鄭龍錫, 列校居二守旗牌官閑良金仁祥, 居三別武士閑良洪秀民。

秋等, 居二左列別驍士閑良金聲鍾, 居三右列別驍士閑良李德良, 列校居二守堞軍官閑良崔東臣, 居三旗牌官閑良金仁祥。竝自臣營, 依例施賞, 緣由馳啟*爲白臥乎事*。【春等, 左列別驍士閑良李守業, 年三十七, 父泰得, 住日用面, 鐵箭一矢一百八步, 二矢一百七步, 三矢一百八步, 柳葉箭貫一中, 邊一中, 片箭貫一中, 鞭蒭二中, 合八矢二分。列校守堞軍官閑良姜周成, 年三十三, 父得範, 住晴湖面, 鐵箭一矢一百六步, 二矢一百八步, 三矢一百八步, 柳葉箭邊一中, 片箭邊二中, 鞭蒭二中, 鳥銃邊二中, 合十矢。
秋等, 右列別驍士閑良曺源振, 年三十一, 父前五衛將允恒, 住梅谷面, 鐵箭一矢一百二十四步, 二矢一百二十四步, 三矢一百二十二步, 柳葉箭貫一中, 邊一中, 片箭貫一中, 騎蒭二中, 鞭蒭二中合十矢二分。列校守堞軍官閑良李世煥, 年三十二, 父德文, 住安寧面, 鐵箭一矢一百八步, 二矢一百八步, 三矢一百十三步, 柳葉箭貫一中, 邊二中, 騎蒭二中, 鞭蒭二中, 合十矢一分】。

정유년丁酉年 1837년, 헌종憲宗 3년 10월

初一日。

開東詣客舍, 行望闕禮, 判官、中軍進參。

同日。

華寧殿焚香奉審後, 封啓。

〔狀啓〕

臣於今日, 華寧殿焚香後, 仍爲奉審, 則殿內諸處無頉*是白乎旀*, 卽接顯隆園令李民耆牒呈, 則"今日園上、殿內奉審無頉"*是如爲白有等以*, 緣由馳啟*爲白臥乎事*。

同日。

監役與宋令, 同發上去。

初五日。

華寧殿日次奉審。

初六日。

自營離發, 中火于果川, 酉時抵筆谷, 封啓。

〔狀啓〕

臣有廟堂稟議事, 當日發行上京, 緣由馳啟*爲白臥乎事*。

初八日。

進講入侍, 仍進實錄廳。

初十日。

健陵、顯隆園年例補植事, 封啓。

〔狀啓〕

卽接健陵令金性求、華寧殿令李民耆牒呈, 則"局內樹木稀疎處, 年例補植之役, 自今月初六日爲始, 初七日之畢役處"*是如爲白有等以*, 補植境界, 及植木株數, 後錄馳啟*爲白臥乎事*。

十一日。

出往樊溪。

十四日。

自樊溪還筆谷。

十五日。

華寧殿、顯隆園奉審無頉事, 封啓。

〔狀啓〕

卽接華寧殿兼令金漢淳牒呈, 則"今月十五日焚香後, 仍爲奉審, 則殿內諸處無頉"*是如爲白乎旀*。同時到付顯隆園令李民耆牒呈內, "今月十五日, 園上、殿內奉審無頉"*是如爲白有等以*, 緣由馳啟*爲白臥乎事*。

二十日。

進講入侍, 仍進實錄廳。

二十四日。

進講入侍, 仍進實錄廳

同日。

北屯祝萬堤諸處畢役形止及監董以下請賞事, 封啓。

〔**狀啓**〕

本府北屯疏濬之由, 前已馳啟*爲白有在果*, 自三月始役, 另擇裨校, 派定各務, 淤泥之積久成陸者, 期以深鑿, 垌堰之漸致汰落者, 務從完築*是白遣*。

如意橋, 卽是旱潦藏洩之戶, 而左右石築太半動退, 故竝爲改築*爲白遣*。東邊入水處, 年久澱淤, 民或冒耕, 故尺量開拓, 略築新堤, 一復設始初境界*爲白乎旀*。城內開川, 自華虹門至南水門, 流沙積淤, 幾與路齊, 一直潦漲, 東西汎溢, 傍近民戶, 每患沈墊, 不可不及今疏濬*乙仍于*, 開鑿沙礫, 補築堤岸*爲白乎旀*。

祝萬堤西偏水文潰決形止, 已卽登聞*是白在果*, 較諸北屯, 渟滀倍蓰, 灌漑之利, 爲一府之最, 而水門潰決之日, 全提貯水, 一時走失, 若不趁卽改築以瀦三冬雨雪之水, 則堤下數十里繡錯之畦塍, 更無引漑長禾之處*是白乎所*, 亟令雇丁董役, 而水竇之設, 專用甎石, 或仍舊貫或取新材, 橫鋪竪排, 水閘旣成, 築土被沙, 堤形復完, 不住董飭, 今纔告竣*是白乎旀*。

東、西將臺及華陽樓、西鋪樓間間頹圮處*段置*, 亦爲一一修補, 大小工役, 凡閱七朔而今始次第了訖*是白如乎*, 各處修築之把數形止, 秩秩區別, 開錄于左*爲白乎旀*, 此等工役, 凡爲監董者, 係是職分內事, 豈有酬賞之可言, 而自前本府, 每有興役, 不論鉅細, 輒皆請賞, 便成已例, 且今番各項修築役處, 非一事工甚鉅, 其在激勸之方, 合有收錄之典*是白乎矣*, 事係干恩, 臣不敢擅, 便謹稽已例, 幷以後錄*爲白去乎*, 令該曹照例稟處*爲白乎旀*。

各項所入物力*段*, 自臣營修城庫、貯置庫, 分排取用後, 修成冊, 上送于備邊司, 緣由馳啟*爲白臥乎事*。

【後】 北屯堤內疏鑿及堤垌補築、北堤補築長二百二十把, 廣七把, 東堤新築長二百八十把, 廣四把, 如意橋二十間, 改建左右石築, 高四尺, 廣十尺。

○ 祝萬堤水門改建及體垌改築水門石柱, 高十五尺五寸, 左右石築, 長二十八尺, 高五尺, 磚石改鋪, 長二十八尺, 廣三尺, 體垌改築, 長三十五把, 廣二十把, 高七把。

○ 城內川堤, 左右補築, 長六百三十把, 廣二十把, 斗周防川五十間, 東、西將臺及華陽樓、西鋪樓, 間間補修。

○ 都廳監董裨校以下工匠等姓名秩

各所都廳水原府中軍朴著會、

北屯監董前郡守趙玄鈺、

別看役五衛將金致夏、

都裨將教練官折衝車聖民、

看役牌將教鍊官副司果林聖龍、

教鍊官副司果李基培、

別武士副司果金星赫,

○ 祝萬堤監董前武兼柳勉根、

別看役前主簿卞學秀、

都牌將教鍊官折衝李文培、

看役牌將教鍊官副司果金重寬、

教鍊官副司果韓慶祖、

旗牌官折衝金百麗,

○ 濬川監董前察訪朴師膺、

別看役教鍊官副司果朴駿碩、

看役牌將旗牌官嘉善池繼般、

教鍊官副司果李基平、

○ 東西將臺別看役資憲文世駿、

都牌將前僉使嘉儀申廷翼、

看役牌將別驍士副司果李光潤、

各所都策應書吏羅東升、

看役書吏朴民豊·車允弘·朴完英·韓道錫、

石手邊手梁萬同等十三名、

冶匠邊手金七孫等四名、

木手邊手白有孫等七名。】

二十五日。

本營及屬五邑軍兵官門聚點, 移付於堤堰修築事, 封啓。

〔狀啓〕

前矣到付備邊司關內, "節啓下教司啓辭, '各道秋操稟啓, 今已齊到矣, 有國所重, 莫過詰戒, 頻年停操, 便成恒式, 陰雨之備, 實涉疏虞, 一番修擧, 在所不已, 第念四道設賑, 兩南則添以轉輸之勞, 西路雖曰小康, 見今使客絡續, 供億旁午, 畿邑事勢, 亦無異同, 此時徵調, 有難議到, 今秋八道三都水陸諸操、巡歷、巡點, 幷姑停止, 至於官、鎭門聚點, 則伍繕戒申明約束, 毋敢視以文具, 裨有整飭之效, 有堤堰處, 使之移點完役, 各樣都試、覆審、考講, 按例擧行, 停退都試, 一體合設之意, 分付何如?', 答曰 : '允事', 傳教*教是置*, 傳教內辭意, 奉審施行"*亦爲白有等以*。

臣營馬步、軍兵, 依例聚點, 俱無闕額, 而步軍*段*, 移點於各處堤堰疏鑿之役*是白遣*, 所屬五邑軍兵, 亦爲依關辭擧行之意, 傳令知委*是白加尼*。即接安山郡守李俊秀、龍仁縣令李鍾允、振威縣令朴長馣、始興縣令李鳴遠所報, 則"四邑軍兵, 移點於堤堰疏鑿之役"*是如爲白遣*。果川縣監鄭晩教所報, 則"本縣軍兵, 依例聚點, 別無闕伍"*是如爲白有等以*, 緣由馳啓*爲白臥乎事*。

二十八日。

進講入侍, 仍進實錄廳

同日。

災結加劃、舊還仍停, 依前狀請準下事, 封啓。

〔狀啓〕

臣於本府年分狀本中, 備陳農形與民情, 仰請災結之加劃還餉之仍停*是白加尼*, 即狀見籌司覆啓之行會者, 則災結減俵, 至爲四百六十二結零*是白遣*, 乙未停退還餉折米收捧亦*是白如乎*, 檢放之不宜, 或濫停糴之, 徒貽後弊。臣雖瞶劣, 豈敢全昧而前此之據實,仰請實出於萬不獲已*是白乎所*? 今年穡事, 可謂無災, 不有始因, 暵乾孔酷秧役愆時, 兼以厲氣方熾, 民力多絀, 旋以鋤後, 惜乾愆蠶, 肆氣、暴雨、凄風一直癢稼*是白遣*, 至如海溢, 各面偏被沈墊之患, 而幸賴秋候頗調, 雖有如干蘇醒*是白乎乃*, 畢竟成就, 大失所望, 或在野而刈獲不到, 或登場而種稅不足, 惟以田穀之稍登, 不得歸之於歉荒, 而市價方秋刁騰, 民情無異窮節*是白如乎*。

以此年形民勢, 新舊災結之未滿千數, 揆以常年比摠, 庶無一毫濫觴, 而今以五百十五結劃下之災, 較諸舊初不四百二十四結零之流來災頃及海溢災九十四結零之已經登聞者, 猶有不足之數, 則今災*段*, 更無把、束之俵給*是白置*, 使此失農之民, 復添白徵之寃, 恐非所以仰體軫恤之道*是白乎旀*, 至於乙未停退還餉各穀*段*, 伊年海溢, 卽數十年來初有之災, 濱海二十餘面, 便成滄桑, 垌堤堰畦塍, 隨處潰決, 漁箭鹽盆擧皆漂頹, 沿浦居民, 失農失利, 流亡相續, 十空八九, 一切公納, 徵捧無路。畢竟有此分數停退之擧, 而昨秋年事, 又未免歉陳廢者, 未墾, 渙散者未集, 民情事勢, 與前無異, 故據實陳聞, 特蒙仍停*是白加尼*。

今年穡事, 又復如右所陳, 而海溢爲災依舊, 是濱海之面, 則當年新還與身布, 猶患難捧*是白去等*, 況以此已流亡無指徵之舊還, 將處責捧乎? 苟欲一一追督, 勢不得不徵隣徵族, 而所謂隣、族, 皆濱死、荷擔之類, 一聞此令, 狼顧四散, 則舊還毋論, 竝與今年受食之還, 而都歸指徵無處之科, 此實事勢之的然無疑者也, 覆奏啓下之後, 更事煩瀆, 極知猥越, 而民命攸係, 玆不得不冒昧申籲*爲白去乎*, 災結加劃, 舊還仍停, 竝依前狀請準下事, 令廟堂稟旨分付*爲白只爲*。

同日。

瓜滿事, 報備局移吏曹。

〔報牒〕

爲相考事。

留守去丙申正月十二日政本職除授, 同月二十六日辭朝, 二十七日到營, 今年十二月, 至爲二十四朔之限*是乎等以*, 緣由馳啓*爲白臥乎事*。

정유년丁酉年 1837년, 헌종憲宗 3년 11월

十一月初一日。

進講入侍, 仍進實錄廳

同日。

華寧殿、顯隆園奉審無頉事, 封啓。

〔狀啓〕

即接華寧殿兼衛將朴蓍會牒呈, 則"今月初一日焚香後, 仍爲奉審, 則殿內諸處無頉"*是如爲白乎旀*。同時*到付*顯隆園參奉李克聲牒呈內, "今月初一日, 園上、殿內奉審無頉"*是如爲白有等以*, 緣由馳啟*爲白臥乎事*。

初四日。

進講入侍, 仍進實錄廳

同日。

災結加劃、舊還仍停事, 籌司覆啓關文, 來到。

〔籌關〕

爲相考事。

"*節*啓下*教*司啓辭, '頃因水原府留守徐有槼[8], 災實狀啓, 加請災五百結許劃, 乙未停退還餉, 限折半收捧之意, 覆啓行會矣, 即見該留守狀啓, 則復陳年形民勢, 仍請見減災四百六十二結五十七負二束,

8 有槼: 원본에는 □□. 《비변사등록》《備邊司謄錄》 憲宗 三年 11月 4日 기사에 의거하여 수정하였다.

特許準劃, 乙未還餉, 亦許全數仍停事, 令廟堂稟旨分付矣, 災劃始未嘗無裁量, 而加請又如是, 豈排俵不足, 尙有白徵之慮乎? 以寧失之義, 特許二百結加劃, 乙未停退, 枚擧民情, 勤渠至此, 亦許仍停, 俾紓民力, 何如?', 答曰, '允'傳敎*敎是置*, 傳敎內辭意, 奉審施行*向事*"

初七日。

進講入侍, 仍進實錄廳

十一日。

進講入侍, 仍進實錄廳

十三日。

仁陵忌辰祭享問安班進參。

十四日。

自京離發, 中火于果川, 申刻抵營, 封啓。

〔狀啓〕

臣有廟堂稟議事, 上京*爲白有如可*, 當日還營, 緣由馳啓*爲白臥乎事*。

十五日。

開東詣客舍, 行望闕禮, 判官、中軍進參。

同日。

華寧殿冬孟朔大奉審後, 封啓。

〔狀啓〕

華寧殿冬孟朔大奉審元定*是白在*, 去月十五日, 當爲擧行, 而臣在京未還, 不得擧行*是白遣*, 今月十五日焚香後, 與兼令臣金漢淳、兼衛將臣朴蓍會, 眼同奉審*是白乎*, 則殿內諸處, 俱爲無頉*是白乎旀*, 卽接顯隆園令李民耆牒呈, 則"園上、殿內奉審無頉"*是如爲白有等以*, 緣由馳啟*爲白臥乎事*。

二十日。

華寧殿日次奉審。

同日。

冬至箋文封啓。

〔箋文〕

伏以紫極體乾元之德, 化闡對時, 黃鍾協復亨之辰, 頌騰亞歲, 日行南陸, 星控北宸。恭惟光紹鴻圖, 丕膺駿命, 學懋就日, 銘湯盤而晉工, 道光則天, 在舜衡而齊政, 玆當履長之節, 益迓泰來之休。伏念臣誠切嵩呼, 職縻華封, 葭灰應律, 幸値添線之期, 葵忱傾陽, 粗伸獻襪之悃。

右, 大殿

伏以璇闈衍慶, 頌純禧於東朝, 玉燭調元, 迓淑景於南至, 月維建子, 天其用申。恭惟媲周母任, 邁宋女舜, 慈天徧覆, 陰敎普被於八垠, 瑞暉滋長, 遐祝方騰於萬歲, 玆當亞歲, 添一線之日, 益仰寶籌, 躋五旬之休。

伏念臣職縻分司, 誠深慈闕, 際頒曆之昌會, 縱阻鵷班, 效獻襪之微忱, 恭進燕賀。

右, 大王大妃殿

伏以用敷錫九疇五福, 天佑東方, 開次第萬戶千門, 日屆南至, 叢霄瑞色, 匝域歡聲。恭惟時敏聖工, 天縱大德, 積累洪業, 光啟萬億年無疆, 對育神功, 爭仰千一運有作, 玆當添繡線之日, 丕闡調玉燭之休。

伏念臣時際泰回, 職忝華封, 望五雲於丹極, 那禁戀闕之誠? 呼千歲於碧嵩, 粗伸祝岡之悃。

右, 內閣箋文。

二十四日。

以<u>顯隆園</u>冬至祭享, 獻官陪香祝, 詣園所。

二十五日。

祭享設行後, 封啓, 仍還營, 行望賀禮。

〔狀啓〕

謹啓爲祭享事。

今月二十五日, 行<u>顯隆園</u>冬至祭享, 臣以獻官進參設行後, 園上奉審, 雜草雜木無乎*是白遣*, 四山之內, 亦無樹木犯斫之弊*是白乎旀*。祭官職姓名, 開錄于後, 緣由馳啟*爲白臥乎事*。

同日。

華寧殿日次奉審。

二十六日。

自營離發, 中火于果川, 申刻抵筆谷, 封啓。

〔狀啓〕

臣有廟堂稟議事, 當日發行上京, 緣由馳啟*爲白臥乎事*。

二十八日。

進實錄廳

정유년丁酉年 1837년, 헌종憲宗 3년 12월

十二月初一日。

進講入侍, 仍進實錄廳

○ 報瓜已三月矣, 是日出代李臺紀淵爲之。

同日。

華寧殿、顯隆園奉審無頉事, 封啓。

〔狀啓〕

卽接華寧殿兼令金漢淳牒呈, 則"今月初一日焚香後, 仍爲奉審, 則殿內諸處無頉"*是如爲白乎旀*。同時*到付*顯隆園參奉李克聲牒呈內, "今月初一日, 園上、殿內奉審無頉"*是如爲白有等以*, 緣由馳啟*爲白臥乎事*。

初二日。

進實錄廳。

○ 以知經筵, 首擬蒙點。

初五日。

進講入侍。

初六日。

王大妃殿誕辰, 問安班進參。

同日。

華寧殿兼守門將差下事, 封啓。

〔**狀啓**〕

華寧殿兼守門將金遠浩瓜遞, 代以臣營哨官孫致榮差下*爲白去乎*, 令該曹依定式單付啓下之地*爲白只爲*。

初七日。

璿源殿舊本影幀奉來時, 出東門祗迎。

初九日。

題檢狀。

【本府迎華驛居金順江, 以烟價不給事, 見迫於南門外店主安德信, 追後竟被金癸得陽打致死。

初檢官龍仁縣令李鍾允, 覆檢官振威縣令朴長馣】

〔**檢題**〕

屍帳*棒上是在果*。

始初起鬧者, 安德信也, 終被發告者, 安德信也, 及夫行檢之後, 金癸得之名, 始出泛論, 獄體殊覺牴牾, *是乃*大凡檢驗之法。雖其群毆衆鬪, 傷處非一是*良置*, 實因執定, 必在要害部位, 此卽不易之大經也。安德信之首先犯手, 不過打頰牽裾而止, 則未可謂致命之根因*是遣*, 金癸得, 雖云追入助勢, 而脇肋脊背, 是何等緊要之部位, 一踢致命, 矧又再爲强壯, 亦難支吾, 況彼病殘。宿昔無睚眦之怨, 當場無脣舌之爭, 而逞憤於不干之地, 施毒於疲癃之質, 使箇鴛鴦之脚, 踢倒支離之疏, 原其情則究說不得, 執其跡則狂藥所使, 雖不可謂以殺心行殺事, 而以證招則毆踢交加, 以檢帳則初覆沕合, 此獄正犯, 非渠而誰! 同金癸得身乙, 爲先箇箇考察, 嚴刑日次, 取招牒報*爲旀*。安得信*段*, 噂爾之與, 尙云薄俗, 批牽之逐, 無乃已甚? 始因三文錢討債, 遂致七尺軀殞命, 禍之首而厲之階也。

一獄無兩犯, 雖不得歸之元犯, 而不可以尋常干犯論, 一體嚴刑, 取招*爲乎矣*, 兩囚依近例移囚龍仁獄, 果川縣監差定同推官*爲去乎*, 約日會推擧行*爲旀*, 屍體, 卽爲出給埋瘞, 在囚諸人, 今無更問之端, *竝只*放送之意, 地方官及初檢官*良中*, 枚移施行*向事*。

初十日。

進講入侍。

十一日。

典牲提調, 以首擬蒙點。

十二日。

出往南門外, 與新留守交龜, 仍詣闕納付知經筵, 謝恩。

역자소개

박시현朴柿炫

서울대학교 중어중문학과에서 《강영과(江盈科)의 설도소설(雪濤小說) 연구》로 문학석사 학위를 받았다. 서울대학교 규장각 한국학연구원의 《소현동궁일기(昭顯東宮日記)》 번역에 참여하였고, 《임원경제지(林園經濟志)》 〈상택지(相宅志)〉·〈예규지(倪圭志)〉·〈이운지(怡雲志)〉·〈정조지(鼎俎志)〉·〈보양지(保養志)〉의 교정과 《완영일록(完營日錄)》, 《번계시고(樊溪詩稿)》, 《금화경독기(金華耕讀記)》의 교정교열을 맡았으며, 《풍석 서유구, 조선의 브리태니커를 펴내다》, 《허공에 기대선 여자 빙허각》, 《조선셰프 서유구》 시리즈를 편집했다. 옮긴 책으로는 《좌소산인문집(左蘇山人文集)》(공역, 2020)이 있다. 현재 풍석문화재단에 재직 중이다.

한민섭韓旼燮

고려대학교 한문학과를 졸업하고 같은 대학원 국어국문학과에서 《서명응(徐命膺) 일가의 박학(博學)과 총서(叢書)·유서(類書) 편찬에 관한 연구》로 박사학위를 받았다. 현재 고려대학교 도서관 한적실(漢籍室) 고서(古書) 전문사서로 재직 중이다. 옮긴 책으로 《좌소산인문집(左蘇山人文集)》(공역, 2020), 《온계선생 북행록(溫溪先生 北行錄)》(탈초·국역, 2019), 《기백재일기(己百齋日記)》(탈초·국역, 2019), 《식물본초 식치편(食物本草 食治篇)》(공역, 2018), 《식료본초 식치편(食療本草 食治篇)》(공역, 2018) 등이 있다.

풍석문화재단은

풍석 서유구 선생의 뜻을 기리기 위해 설립된 공익재단이다.
현재 문화체육관광부의 "풍석학술진흥연구사업"을 통해
《임원경제지》 및 기타 풍석저술과 《임원경제지》 전통음식복원 및
현대화사업의 결과물들을 출판하고 있다.